#교재검토
#선생님들
#감사합니다

강동욱 강면광 강세임 강유진 고예원 구은정 권구미 권익재 권지나 권효석 길지만
김민정 김민지 김솔 김수빈 김수아 김용찬 김정식 김정하 김주현 김준 김지나
김진규 김채연 김희연 노경욱 류세영 류화숙 민동진 민혜린 박레나 박상범 박선영
박영경 박영선 박영주 박유경 박은미 박은하 박진영 박효정 소지희 손규현 손지현
송희승 신나리 안재은 양성모 양지영 양지혁 양희린 엄금희 오보나 오재원 오희정
우진일 원주영 유효선 윤인영 윤정희 윤지영 이경미 이명순 이솜결 이수빈 이아랑
이아현 이은미 이충기 이현진 임도희 임유정 임은정 정수정 정진아 지민경 차효순
최수연 최아현 최인규 하선빈 허미영 홍수정 황근은

Chunjae Makes Chunjae

편집개발 이명진, 신원경, 이민선
디자인총괄 김희정
표지디자인 윤순미, 장미
내지디자인 박희춘, 박광순
제작 황성진, 조규영

발행일 2021년 5월 1일 초판 2021년 5월 1일 1쇄
발행인 (주)천재교육
주소 서울시 금천구 가산로9길 54
신고번호 제2001-000018호
고객센터 1577-0902
교재 내용문의 (02)3282-8884

※ 정답 분실 시에는 천재교육 교재 홈페이지에서 내려받으세요.

중학 어휘
1

시작은

하루 영어

시작은 하루 영어 중학 어휘 1 구성과 특징

시작하며

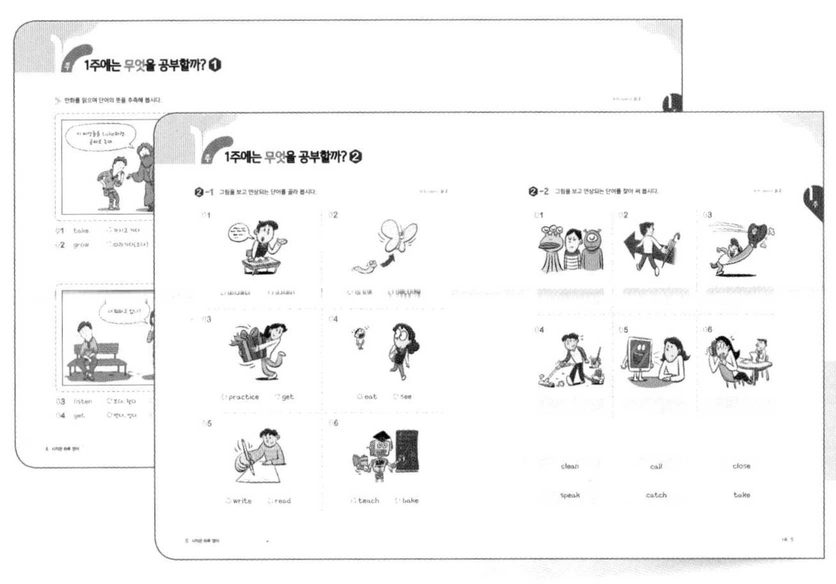

▎이번 주에는 무엇을 공부할까? ❶,❷

- 그 주의 공부를 시작하기 전에 영단어의 의미를 추측해 볼 수 있도록 만화로 재미있게 구성하였습니다.
- 그 주에 공부할 영단어를 간단한 그림 문제로 미리 익힐 수 있게 구성하였습니다.

한 주를 시작하기 전에 잠깐 시간을 내서 공부해봐요.

한 주를 마무리 하며

▎특강 창의·융합·코딩

어휘와 관련된 재미있는 이야기를 읽고, 창의·융합·코딩 문제를 풀면서 한 주 동안 공부한 내용을 복습할 수 있도록 하였습니다.

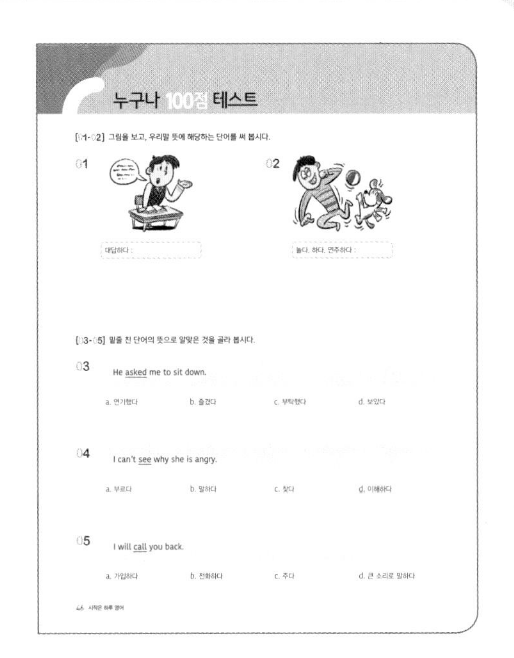

▎누구나 100점 테스트

한 주를 마무리하며 학습한 어휘를 얼마나 잘 익혔는지 테스트할 수 있도록 하였습니다.

5일 동안

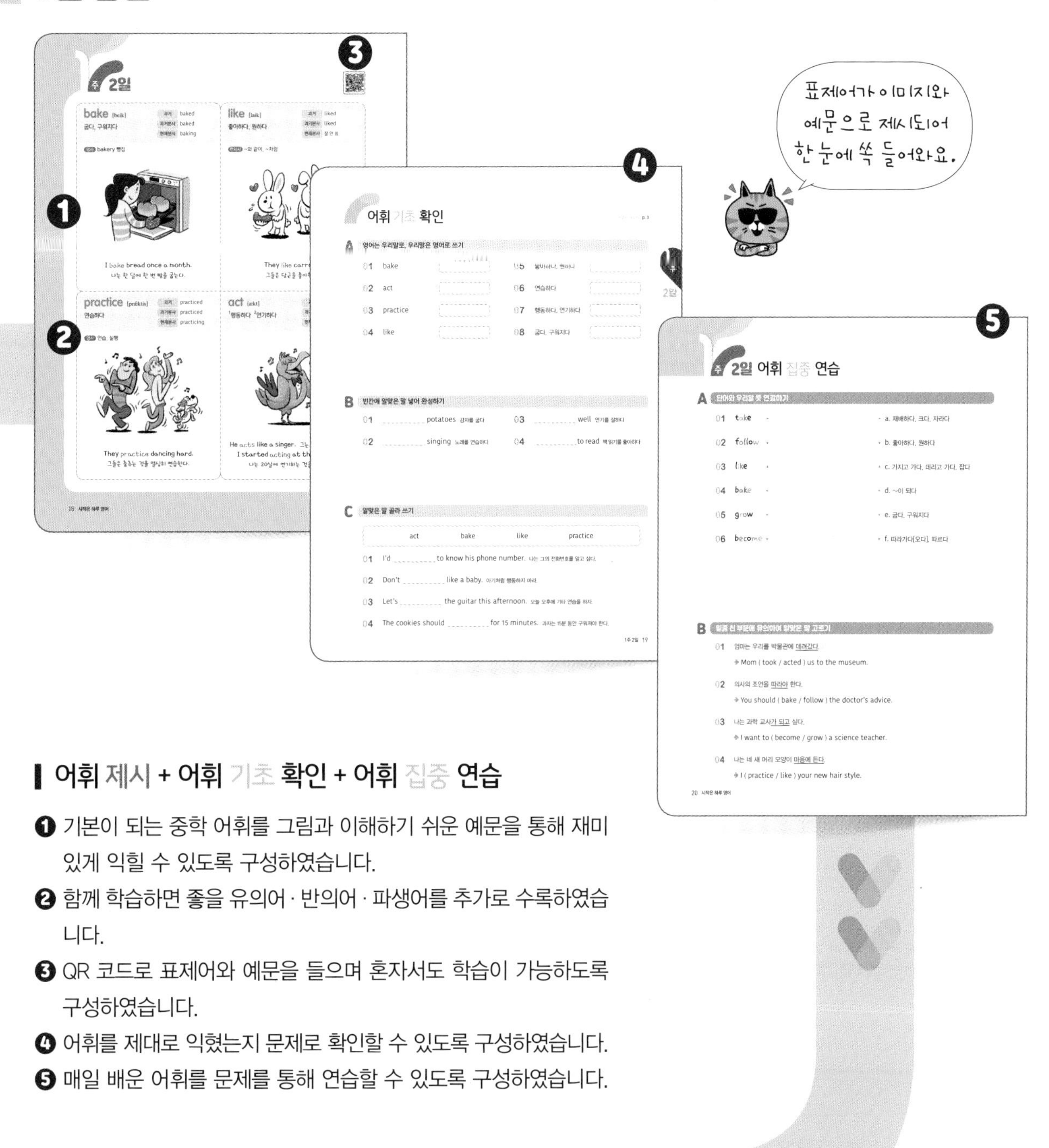

표제어가 이미지와 예문으로 제시되어 한 눈에 쏙 들어와요.

어휘 제시 + 어휘 기초 확인 + 어휘 집중 연습

❶ 기본이 되는 중학 어휘를 그림과 이해하기 쉬운 예문을 통해 재미있게 익힐 수 있도록 구성하였습니다.

❷ 함께 학습하면 좋을 유의어 · 반의어 · 파생어를 추가로 수록하였습니다.

❸ QR 코드로 표제어와 예문을 들으며 혼자서도 학습이 가능하도록 구성하였습니다.

❹ 어휘를 제대로 익혔는지 문제로 확인할 수 있도록 구성하였습니다.

❺ 매일 배운 어휘를 문제를 통해 연습할 수 있도록 구성하였습니다.

시작은 하루 영어
중학 어휘 1

차례

1주

2주

주

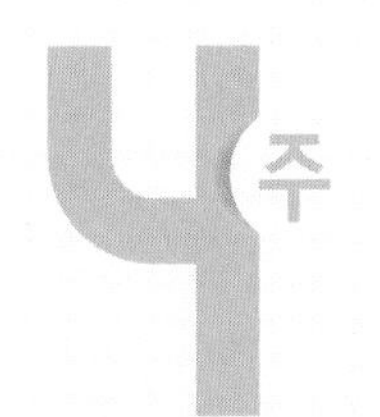
주

주

1주에는 무엇을 공부할까? ❶

만화를 읽으며 단어의 뜻을 추측해 봅시다.

01 take ☐ 가지고 가다 ☐ 사다

02 grow ☐ 따라가다[오다] ☐ 자라다

03 listen ☐ 보다, 찾다 ☐ 듣다

04 get ☐ 받다, 얻다 ☐ 묻다, 부탁하다

Answers p. 2

05 start ☐ 가르치다 ☐ 시작하다

06 catch ☐ 잡다 ☐ 주다

07 call ☐ 전화하다 ☐ 이야기하다, 말하다

08 join ☐ 함께하다 ☐ 놀다

09 teach ☐ 배우다 ☐ 가르치다, 가르쳐주다

주

1주에는 무엇을 공부할까? ❷

❷-1 그림을 보고 연상되는 단어를 골라 봅시다.

Answers p. 2

01

▢ answer ▢ listen

02

▢ drink ▢ become

03

▢ practice ▢ get

04

▢ eat ▢ see

05

▢ write ▢ read

06

▢ teach ▢ bake

2-2 그림을 보고 연상되는 단어를 찾아 써 봅시다.

Answers p. 2

01

02

03

04

05

06

clean	call	close
speak	catch	take

come [kʌm]

오다

과거	came
과거분사	come
현재분사	coming

I come home at 4.

나는 4시에 집에 온다.

help [help]

돕다, 도와주다, 도움이 되다

과거	helped
과거분사	helped
현재분사	helping

명사 도움, 지원

The boy helps the dog.

그 소년은 개를 도와준다.

ask [æsk]

1묻다 2부탁하다

과거	asked
과거분사	asked
현재분사	asking

She asks me some questions.

그녀는 내게 몇몇 질문을 한다.

He asked me to sit down.

그는 내게 앉아달라고 부탁했다.

answer [ǽnsər]

대답하다

과거	answered
과거분사	answered
현재분사	answering

명사 대답, 회신

He answers the question.

그는 질문에 답한다.

어휘 기초 확인

Answers p. 2

A 영어는 우리말로, 우리말은 영어로 쓰기

01 answer

02 come

03 ask

04 help

05 대답하다

06 묻다, 부탁하다

07 돕다, 도와주다, 도움이 되다

08 오다

B 빈칸에 알맞은 말 넣어 완성하기

01 ________ correctly
정확하게 대답하다

02 ________ early 일찍 오다

03 ________ for a drink
음료를 부탁하다

04 ________ people 사람들을 돕다

C 괄호 안의 철자를 바르게 배열하여 쓰기

01 Can you ________ to my house? 너는 우리 집에 올 수 있니?
(eocm)

02 "What's your name?" he ________. '네 이름이 뭐니?'라고 그가 물었다.
(dksae)

03 The tea will ________ you sleep. 그 차는 네가 자는 것을 도울 것이다.
(pehl)

04 He didn't ________ my question. 그는 내 질문에 답하지 않았다.
(arwnse)

do [du]

하다

과거	did
과거분사	done
현재분사	doing

First, I have to do my homework.
먼저 나는 숙제를 해야 한다.

play [plei]

[1]놀다 [2]하다 [3]연주하다

과거	played
과거분사	played
현재분사	playing

I play with my dog. 나는 나의 개와 논다.
I play tennis. 나는 테니스를 친다.
I play the guitar. 나는 기타를 연주한다.

look [luk]

[1]보다 [2]찾다 [3]~하게 보이다

과거	looked
과거분사	looked
현재분사	looking

She is looking at the frog.
그녀는 개구리를 보고 있다.
What are you looking for?
너는 무엇을 찾고 있니?

listen [lísn]

듣다

과거	listened
과거분사	listened
현재분사	listening

He is listening to the bird singing.
그는 새가 노래하는 것을 듣고 있다.

어휘 기초 확인

Answers p. 2

A 영어는 우리말로, 우리말은 영어로 쓰기

01 listen ______

02 do ______

03 play ______

04 look ______

05 보다, 찾다, ~하게 보이다 ______

06 듣다 ______

07 하다 ______

08 놀다, 하다, 연주하다 ______

B 빈칸에 알맞은 말 넣어 완성하기

01 ______ baseball 야구를 하다

02 ______ carefully 주의해서 듣다

03 ______ the dishes 설거지를 하다

04 ______ everywhere 구석구석 찾다

C 알맞은 말 골라 쓰기

listen	do	look	play

01 You ______ tired. 너는 피곤해 보인다.

02 Why don't we ______ *omok*? 우리 오목을 두는 게 어때?

03 He wants to ______ to classical music. 그는 클래식 음악이 듣고 싶다.

04 I don't know what to ______. 나는 무엇을 할지 모르겠다.

1주 1일 어휘 집중 연습

A 단어와 우리말 뜻 연결하기

01 answer •

02 look •

03 listen •

04 ask •

05 play •

06 help •

• a. 묻다, 부탁하다

• b. 놀다, 하다, 연주하다

• c. 대답하다

• d. 돕다, 도와주다, 도움이 되다

• e. 듣다

• f. 보다, 찾다, ~하게 보이다

B 밑줄 친 부분에 유의하여 알맞은 말 고르기

01 너는 내 생일 파티에 올 수 있니?

➔ Can you (listen / come) to my birthday party?

02 나는 그녀에게 문을 열어달라고 부탁했다

➔ I (asked / answered) her to open the door.

03 그들은 지금 무엇을 하고 있니?

➔ What are they (playing / doing) now?

04 자세히 보면, 작은 물고기들을 볼 수 있다.

➔ If you (look / help) closely, you can see small fish.

Answers p. 2

C 빈칸에 알맞은 철자를 넣어 문장 완성하기

01 나는 밴드에서 드럼을 연주한다.

➔ I [ ][ ][ ][y] the drums in the band.

02 학생은 선생님 말을 들어야 한다.

➔ Students should [ ][i][ ][ ][ ][n] to the teacher.

03 나는 네가 탁자를 옮기는 것을 도울 것이다.

➔ I will [h][ ][ ][ ] you move the table.

04 나는 그에게 작별인사를 했지만, 그는 대답하지 않았다.

➔ I said goodbye to him, but he didn't [a][ ][s][ ][ ][ ].

1주 1일 누적 테스트 영어는 우리말로, 우리말은 영어로 쓰기

01 help	[ ]	09 놀다, 하다, 연주하다	[ ]
02 do	[ ]	10 듣다	[ ]
03 ask	[ ]	11 돕다, 도와주다, 도움이 되다	[ ]
04 come	[ ]	12 오다	[ ]
05 answer	[ ]	13 묻다, 부탁하다	[ ]
06 look	[ ]	14 대답하다	[ ]
07 listen	[ ]	15 보다, 찾다, ~하게 보이다	[ ]
08 play	[ ]	16 하다	[ ]

become [bikʌ́m]

~이 되다

과거	became
과거분사	become
현재분사	becoming

It will become a butterfly.
그것은 나비가 될 것이다.

follow [fálou]

1따라가다[오다] 2따르다

과거	followed
과거분사	followed
현재분사	following

I follow the road to school.
나는 학교까지 길을 따라간다.

take [teik]

1가지고 가다 2데리고 가다
3잡다 4시간이 걸리다

과거	took
과거분사	taken
현재분사	taking

Take your umbrella. 우산을 가지고 가라.
It takes 10 minutes to school.
학교까지 10분 걸린다.

grow [grou]

1재배하다 2크다, 자라다

과거	grew
과거분사	grown
현재분사	growing

My grandmother grows tomatoes.
우리 할머니는 토마토를 재배하신다.
I grew taller this year.
나는 올해 키가 더 컸다.

어휘 기초 확인

Answers p. 3

A 영어는 우리말로, 우리말은 영어로 쓰기

01 grow

02 follow

03 become

04 take

05 가지고 가다, 데리고 가다, 잡다, 시간이 걸리다

06 ~이 되다

07 재배하다, 크다, 자라다

08 따라가다[오다], 따르다

B 빈칸에 알맞은 말 넣어 완성하기

01 ________ his coat 그를 코트를 잡다

02 ________ worried 걱정이 되다

03 ________ taller 더 키가 크다

04 ________ my dream 내 꿈을 따르다

C 괄호 안의 철자를 바르게 배열하여 쓰기

01 It ________ cold in winter. 겨울에는 추워진다.
(ecoebms)

02 They ________ Ms. Brown. 그들은 Brown 씨를 따라갔다.
(leoflowd)

03 Can I ________ you home? 제가 당신을 집에 데려다 줄까요?
(teka)

04 Jisu ________ 2cm in a month. 지수는 한 달에 2센티미터 컸다.
(erwg)

bake [beik]

굽다, 구워지다

과거	baked
과거분사	baked
현재분사	baking

명사 bakery 빵집

I bake bread once a month.
나는 한 달에 한 번 빵을 굽는다.

like [laik]

좋아하다, 원하다

과거	liked
과거분사	liked
현재분사	잘 안 씀.

전치사 ~와 같이, ~처럼

They like carrots.
그들은 당근을 좋아한다.

practice [prǽktis]

연습하다

과거	practiced
과거분사	practiced
현재분사	practicing

명사 연습, 실행

They practice dancing hard.
그들은 춤추는 것을 열심히 연습한다.

act [ækt]

[1]행동하다 [2]연기하다

과거	acted
과거분사	acted
현재분사	acting

He acts like a singer. 그는 가수처럼 행동한다.
I started acting at the age of 20.
나는 20살에 연기하는 것을 시작했다.

어휘 기초 확인

Answers p. 3

A 영어는 우리말로, 우리말은 영어로 쓰기

01 bake

02 act

03 practice

04 like

05 좋아하다, 원하다

06 연습하다

07 행동하다, 연기하다

08 굽다, 구워지다

B 빈칸에 알맞은 말 넣어 완성하기

01 ____________ potatoes 감자를 굽다

02 ____________ singing 노래를 연습하다

03 ____________ well 연기를 잘하다

04 ____________ to read 책 읽기를 좋아하다

C 알맞은 말 골라 쓰기

act	bake	like	practice

01 I'd ____________ to know his phone number. 나는 그의 전화번호를 알고 싶다.

02 Don't ____________ like a baby. 아기처럼 행동하지 마라.

03 Let's ____________ the guitar this afternoon. 오늘 오후에 기타 연습을 하자.

04 The cookies should ____________ for 15 minutes. 과자는 15분 동안 구워져야 한다.

A 단어와 우리말 뜻 연결하기

01 take •
02 follow •
03 like •
04 bake •
05 grow •
06 become •

• a. 재배하다, 크다, 자라다
• b. 좋아하다, 원하다
• c. 가지고 가다, 데리고 가다, 잡다
• d. ~이 되다
• e. 굽다, 구워지다
• f. 따라가다[오다], 따르다

B 밑줄 친 부분에 유의하여 알맞은 말 고르기

01 엄마는 우리를 박물관에 데려갔다.

➔ Mom (took / acted) us to the museum.

02 의사의 조언을 따라야 한다.

➔ You should (bake / follow) the doctor's advice.

03 나는 과학 교사가 되고 싶다.

➔ I want to (become / grow) a science teacher.

04 나는 네 새 머리 모양이 마음에 든다.

➔ I (practice / like) your new hair style.

Answers p. 3

C 빈칸에 알맞은 철자를 넣어 문장 완성하기

01 나의 언니는 이상하게 행동했다.

→ My sister [ ][c][ ][e][d] strangely.

02 나는 일주일에 두 번 바이올린 연습을 한다.

→ I [ ][r][ ][ ][t][ ][ ][ ] the violin twice a week.

03 그들은 작은 정원에서 채소를 기른다.

→ They [g][ ][ ][ ] vegetables in a small garden.

04 오븐에서 닭을 구워라.

→ [ ][ ][k][ ] the chicken in the oven.

1주 1~2일 누적 테스트 영어는 우리말로, 우리말은 영어로 쓰기

01	answer		09	행동하다, 연기하다	
02	help		10	보다, 찾다, ~하게 보이다	
03	ask		11	하다	
04	listen		12	오다	
05	follow		13	굽다, 구워지다	
06	become		14	좋아하다, 원하다	
07	grow		15	연습하다	
08	take		16	놀다, 하다, 연주하다	

read [riːd]

읽다

과거	read
과거분사	read
현재분사	reading

The kid is reading books.
아이가 책을 읽고 있다.

write [rait]

쓰다

과거	wrote
과거분사	written
현재분사	writing

Who wrote the letter?
누가 이 편지를 썼지?

get [get]

1 받다, 얻다 2 가져오다
3 도착하다

과거	got
과거분사	got, gotten
현재분사	getting

I got a present. 나는 선물을 받았다.
I will get there at 3.
나는 거기에 3시에 도착할 것이다.

enjoy [indʒɔ́i]

즐기다, 즐거워하다

과거	enjoyed
과거분사	enjoyed
현재분사	enjoying

My dog enjoys swimming.
나의 개는 수영하는 것을 즐긴다.

어휘 기초 확인

Answers p. 3

A 영어는 우리말로, 우리말은 영어로 쓰기

01 get ______

02 enjoy ______

03 read ______

04 write ______

05 읽다 ______

06 쓰다 ______

07 받다, 얻다, 가져오다, 도착하다 ______

08 즐기다, 즐거워하다 ______

B 빈칸에 알맞은 말 넣어 완성하기

01 ______ a novel 소설을 쓰다

02 ______ a drink 마실 것을 가져오다

03 ______ the magazine 잡지를 읽다

04 ______ the game 게임을 즐기다

C 알맞은 말 골라 쓰기

get	write	enjoy	read

01 I usually ______ a book before sleeping. 나는 보통 자기 전에 책을 읽는다.

02 Where did you ______ the cap? 그 모자는 어디에서 났니?

03 We couldn't ______ the party. 우리는 파티를 즐길 수 없었다.

04 He has to ______ an essay. 그는 에세이를 써야 한다.

buy [bai]

사다, 사주다

과거	bought
과거분사	bought
현재분사	buying

He will buy a green shirt.
그는 초록색 셔츠를 살 것이다.

drink [driŋk]

마시다

과거	drank
과거분사	drunk
현재분사	drinking

명사 음료, 마실 것

I drink milk every day.
나는 매일 우유를 마신다.

give [giv]

주다

과거	gave
과거분사	given
현재분사	giving

I give my dog snacks.
나는 내 개에게 간식을 준다.

catch [kætʃ]

[1]잡다 [2](병에) 걸리다

과거	caught
과거분사	caught
현재분사	catching

The boy catches the ball.
소년은 공을 잡는다.
He caught a bad cold. 그는 독감에 걸렸다.

어휘 기초 확인

Answers p. 4

A 영어는 우리말로, 우리말은 영어로 쓰기

01 drink

02 catch

03 buy

04 give

05 잡다, (병에) 걸리다

06 마시다

07 주다

08 사다, 사주다

B 빈칸에 알맞은 말 넣어 완성하기

01 ________ her 그녀를 잡다

02 ________ him a gift 그에게 선물을 주다

03 ________ water 물을 마시다

04 ________ me a ring 내게 반지를 사주다

C 괄호 안의 철자를 바르게 배열하여 쓰기

01 The police ________ (atcguh) the thief. 경찰은 도둑을 잡았다.

02 She ________ (rdnak) orange juice. 그녀는 오렌지 주스를 마셨다.

03 I ________ (htobug) the pants yesterday. 나는 어제 바지를 샀다.

04 Mr. Jo ________ (geva) me a report card. 조선생님은 내게 성적표를 주셨다.

A 단어와 우리말 뜻 연결하기

01 write •
02 get •
03 enjoy •
04 give •
05 catch •
06 buy •

• a. 잡다, (병에) 걸리다
• b. 쓰다
• c. 주다
• d. 즐기다, 즐거워하다
• e. 사다, 사주다
• f. 받다, 얻다, 가져오다, 도착하다

B 밑줄 친 부분에 유의하여 알맞은 말 고르기

01 너는 한 달에 책을 몇 권 읽니?

→ How many books do you (read / write) a month?

02 찬 물을 너무 빨리 마시지 마라.

→ Don't (buy / drink) cold water too fast.

03 그들을 일주일 전에 제주도에 도착했다.

→ They (caught / got) to Jejudo a week ago.

04 나는 영화 보는 것을 즐긴다.

→ I (enjoy / give) watching movies.

Answers p. 4

C 빈칸에 알맞은 철자를 넣어 문장 완성하기

01 만약 네가 감기 걸린다면, 너는 피곤할 것이다.

➔ If you [ ][a][ ][ ][h] a cold, you will feel tired.

02 그녀는 나에게 먹을 것을 줄 것이다.

➔ She will [g][ ][ ][e] me something to eat.

03 너는 그 전화기 케이스를 어디에서 샀니?

➔ Where did you [b][ ][ ] the phone case?

04 너는 생일 선물로 뭐를 받고 싶니?

➔ What do you want to [ ][e][ ] for your birthday?

1주 2~3일 누적 테스트 영어는 우리말로, 우리말은 영어로 쓰기

01	become		09	가지고 가다, 잡다, 시간이 걸리다	
02	follow		10	좋아하다, 원하다	
03	grow		11	행동하다, 연기하다	
04	bake		12	연습하다	
05	write		13	읽다	
06	get		14	마시다	
07	enjoy		15	주다	
08	catch		16	사다, 사주다	

clean [kli:n]

청소하다, 닦다

과거	cleaned
과거분사	cleaned
현재분사	cleaning

형용사 깨끗한

Let's clean the room.
방을 청소하자.

close [klouz]

[1](눈을) 감다 [2]닫다 [3]덮다

과거	closed
과거분사	closed
현재분사	closing

반의어 open (눈을) 뜨다, 열다

They close their eyes. 그들은 눈을 감는다.
The store closes at 7.
그 가게는 7시에 닫는다.

eat [i:t]

먹다

과거	ate
과거분사	eaten
현재분사	eating

I eat an apple every morning.
나는 아침마다 사과 한 개를 먹는다.

make [meik]

[1]만들다 [2](~ 되도록) 하다

과거	made
과거분사	made
현재분사	making

They are making a snow cat.
그들은 고양이 눈사람을 만들고 있다.
It made us happy.
그것은 우리를 행복하게 했다.

어휘 기초 확인

Answers p. 4

A 영어는 우리말로, 우리말은 영어로 쓰기

01	close		05	청소하다, 닦다	
02	eat		06	(눈을) 감다, 닫다, 덮다	
03	make		07	먹다	
04	clean		08	만들다, (~되도록) 하다	

B 빈칸에 알맞은 말 넣어 완성하기

01 ____________ the door 문을 닫다

02 ____________ the window 창문을 닦다

03 ____________ a movie 영화를 만들다

04 ____________ popcorn 팝콘을 먹다

C 알맞은 말 골라 쓰기

cleaned	ate	made	closed

01 The song ____________ him popular. 그 노래는 그를 인기 있게 만들었다.

02 Dad ____________ his book and went to bed. 아빠는 책을 덮고 잠자리에 드셨다.

03 She ____________ her desk. 그녀는 책상을 청소했다.

04 They ____________ lunch and went out. 그들은 점심을 먹고 나갔다.

swim [swim]

수영하다

과거	swam
과거분사	swum
현재분사	swimming

Seals swim well.

물개는 수영을 잘한다.

wait [weit]

기다리다

과거	waited
과거분사	waited
현재분사	waiting

Sit and wait.

앉아서 기다리렴.

run [rʌn]

[1]달리다, 뛰다 [2]운영하다

과거	ran
과거분사	run
현재분사	running

The rabbit runs faster than the turtle.

토끼가 거북이보다 더 빨리 뛴다.

They run a small shop.

그들은 작은 상점을 운영한다.

see [siː]

[1]보다 [2]알다 [3]이해하다

과거	saw
과거분사	seen
현재분사	seeing

I saw the boy crying.

나는 남자아이가 울고 있는 것을 보았다.

I see what you mean.

나는 네가 의미하는 것을 이해한다.

어휘 기초 확인

Answers p. 4

A 영어는 우리말로, 우리말은 영어로 쓰기

01 see

02 run

03 wait

04 swim

05 수영하다

06 보다, 알다, 이해하다

07 달리다, 뛰다, 운영하다

08 기다리다

B 빈칸에 알맞은 말 넣어 완성하기

01 ________ for her 그녀를 기다리다

02 as you can ________ 너도 알다시피

03 ________ slowly 천천히 수영하다

04 ________ a restaurant 식당을 운영하다

C 괄호 안의 철자를 바르게 배열하여 쓰기

01 When I was 10, I learned to ________ (wmis). 내가 열 살 때, 나는 수영하는 것을 배웠다.

02 Can you ________ (tiaw) for ten minutes? 너는 10분 동안 기다릴 수 있니?

03 The dog is ________ (nuringn) around the park. 개가 공원에서 뛰고 있다.

04 I can't ________ (ese) why she is angry. 나는 그녀가 화난 이유를 이해할 수 없다.

1주 4일 어휘 집중 연습

A 단어와 우리말 뜻 연결하기

01 wait •

02 see •

03 clean •

04 close •

05 run •

06 swim •

• a. 수영하다

• b. (눈을) 감다, 닫다, 덮다

• c. 기다리다

• d. 청소하다, 닦다

• e. 보다, 알다, 이해하다

• f. 달리다, 뛰다, 운영하다

B 밑줄 친 부분에 유의하여 알맞은 말 고르기

01 그는 종종 나를 미소 짓게 한다.

➔ He often (makes / runs) me smile.

02 수지는 다음 전철을 기다리고 있다.

➔ Suji is (waiting / seeing) for the next subway.

03 그 서점은 9시에 문을 닫는다.

➔ The bookstore (closes / cleans) at 9.

04 잠 자기 전에 먹지 말아야 한다.

➔ You should not (swim / eat) before going to bed.

Answers p. 5

C 빈칸에 알맞은 철자를 넣어 문장 완성하기

01 너는 얼마나 자주 네 방을 청소하니?

→ How often do you [ ][l][ ][ ][n] your room?

02 나는 Chris를 한 달 동안 본 적이 없다.

→ I haven't [ ][e][ ][n] Chris for a month.

03 그들은 강에서 수영하고 있다.

→ They are [s][ ][ ][m][ ][ ][ ][g] in the river.

04 그녀는 수호만큼 빨리 달릴 수 있다.

→ She can [ ][ ][n] as fast as Suho.

1주 3~4일 누적 테스트 영어는 우리말로, 우리말은 영어로 쓰기

01	read		09	쓰다	
02	get		10	잡다, (병에) 걸리다	
03	give		11	즐기다, 즐거워하다	
04	drink		12	사다, 사주다	
05	swim		13	만들다, (~되도록) 하다	
06	see		14	(눈을) 감다,닫다, 덮다	
07	wait		15	청소하다, 닦다	
08	run		16	먹다	

1주 5일

learn [ləːrn]

배우다

과거	learned
과거분사	learned
현재분사	learning

The birds are learning to fly.

새들은 나는 것을 배우고 있다.

meet [miːt]

만나다, 모이다

과거	met
과거분사	met
현재분사	meeting

They met at the bus stop.

그들은 버스 정류장에서 만났다.

say [sei]

(~라고) 말하다

과거	said
과거분사	said
현재분사	saying

"You can do it," says Mom.

"너는 할 수 있어."라고 엄마가 말한다.

start [staːrt]

시작하다

과거	started
과거분사	started
현재분사	starting

유의어 begin

It starts to rain.

비가 오기 시작한다.

어휘 기초 확인

Answers p. 5

A 영어는 우리말로, 우리말은 영어로 쓰기

01 meet

02 say

03 start

04 learn

05 시작하다

06 만나다, 모이다

07 배우다

08 (~라고) 말하다

B 빈칸에 알맞은 말 넣어 완성하기

01 ________ goodbye 작별인사를 하다

02 ________ on Fridays 금요일마다 모이다

03 ________ English 영어를 배우다

04 ________ running 달리기를 시작하다

C 알맞은 말 골라 쓰기

say	start	learned	met

01 I ________ Soyun on the bus. 나는 버스에서 소윤이를 만났다.

02 She didn't ________ anything. 그녀는 아무 말도 하지 않았다.

03 We ________ a lot from our teacher. 우리는 선생님께 많은 것을 배웠다.

04 What time does the movie ________? 영화는 몇 시에 시작하나요?

speak [spiːk]

이야기하다, 말하다

과거	spoke
과거분사	spoken
현재분사	speaking

It is speaking to her.
그것은 그녀에게 이야기하고 있다.

teach [tiːtʃ]

가르치다, 가르쳐주다

과거	taught
과거분사	taught
현재분사	teaching

Mr. Robot teaches math.
미스터 로봇이 수학을 가르친다.

call [kɔːl]

[1]전화하다 [2]부르다

과거	called
과거분사	called
현재분사	calling

I will call you back.
내가 너에게 다시 전화할게.
He calls me Mr. Brain.
그는 나를 미스터 브레인이라고 부른다.

join [dʒɔin]

함께하다, 가입하다

과거	joined
과거분사	joined
현재분사	joining

I want to join the dance club.
나는 춤 동아리에 가입하고 싶다.

어휘 기초 확인

Answers p. 5

A 영어는 우리말로, 우리말은 영어로 쓰기

01 teach ______

02 join ______

03 speak ______

04 call ______

05 이야기하다, 말하다 ______

06 가르치다, 가르쳐주다 ______

07 전화하다, 부르다 ______

08 함께하다, 가입하다 ______

B 빈칸에 알맞은 말 넣어 완성하기

01 ______ the army 군대에 가다

02 ______ French 프랑스어를 말하다

03 ______ at school 학교에서 가르치다

04 ______ him 그에게 전화하다

C 괄호 안의 철자를 바르게 배열하여 쓰기

01 I can ______ (pakse) three languages. 나는 세 개 국어를 말할 수 있다.

02 Don't ______ (clal) me a liar. 나를 거짓말쟁이라고 부르지 마.

03 Mom ______ (ugatht) me to swim. 엄마는 나에게 수영하는 것을 가르쳐주셨다.

04 Can you ______ (ojni) us? 너는 우리와 함께할래?

1주 5일 어휘 집중 연습

A 단어와 우리말 뜻 연결하기

01 start •

02 say •

03 meet •

04 join •

05 call •

06 teach •

• a. 전화하다, 부르다

• b. 만나다, 모이다

• c. 시작하다

• d. 가르치다, 가르쳐주다

• e. 함께하다, 가입하다

• f. (~라고) 말하다

B 밑줄 친 부분에 유의하여 알맞은 말 고르기

01 나는 아빠가 나를 부르는 것을 못 들었다.

➔ I didn't hear Dad (call / say) me.

02 아빠는 1년 전에 식당을 시작하셨다

➔ My father (joined / started) his restaurant a year ago.

03 너는 내게 이탈리아어를 가르쳐 줄 수 있니?

➔ Can you (teach / learn) me Italian?

04 그는 매우 조용하게 말했다.

➔ He (met / spoke) very quietly.

Answers p. 5

C 빈칸에 알맞은 철자를 넣어 문장 완성하기

01 너는 수미에게 뭐라고 말했니?

➔ What did you [ ][ ][y] to Sumi?

02 그는 8살 때 스케이트를 타는 것을 배웠다.

➔ He [ ][e][ ][ ][ ][e][d] to skate when he was 8.

03 우리는 북클럽에 가입하고 싶다.

➔ We want to [ ][ ][ ][n] the book club.

04 우리 몇 시에 만날까?

➔ What time shall we [ ][e][ ][ ]?

1주 4~5일 누적 테스트 영어는 우리말로, 우리말은 영어로 쓰기

01	close		09	기다리다	
02	clean		10	수영하다	
03	make		11	보다, 알다, 이해하다	
04	run		12	먹다	
05	call		13	만나다, 모이다	
06	start		14	함께하다, 가입하다	
07	teach		15	배우다	
08	say		16	이야기하다, 말하다	

특강 | Creative Visual Review 창의·융합·코딩

공부한 어휘와 관련된 이야기를 읽으면서 뜻을 확인해 봅시다.

아, 배고프다.
I could eat a horse.

말을 먹을 수 있을 정도로 배고프다는 말이지? 동물과 관련 있는 재미있는 표현을 더 알아 볼까?

eat like a ...

I eat like a bird. (나는 소식가에요.)

I eat like a horse. (나는 대식가에요.)

입이 짧아 조금 먹는다고 할 때는 eat like a bird, 많이 먹는다고 할 때는 eat like a horse 라는 표현을 사용해요. 새는 덩치가 작아 조금 먹으니까 소식가를 표현할 때 쓰고 말은 덩치만 보고도 대식가를 표현할 때 쓴다는 것을 알 수 있어요.

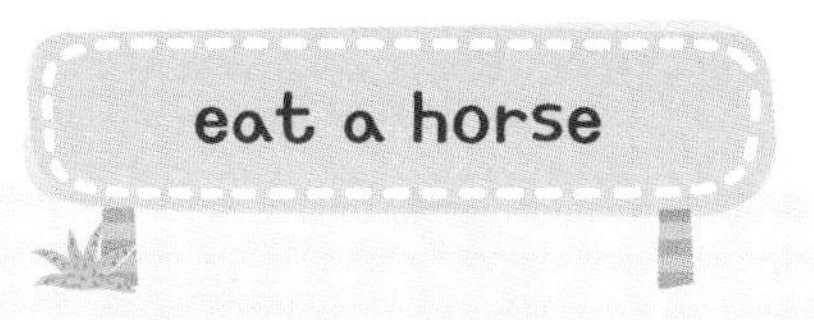

I'm so hungry I could eat a horse.
(나는 배고파서 말이라도 먹을 수 있을 것 같아요.)

I could eat a horse는 배가 너무 고파서 말이라도 먹을 수 있을 지경이라는 과장된 표현이에요. 이 말은 미국 서부 개척 시대에 카우보이들이 전국을 몇 달씩 돌아다녀도 사람을 만나지 못해 자신이 타고 다니는 말이라도 잡아 먹지 않으면 안 될 정도로 배가 고팠다고 해서 생긴 표현이라고 해요.

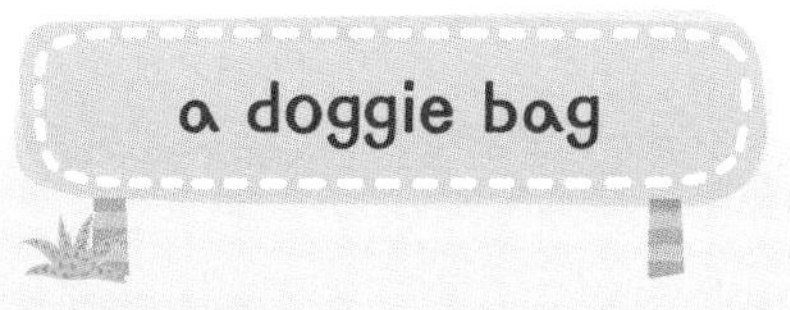

Why don't you ask for a doggie bag?
(doggie bag을 달라고 하는 게 어때요?)

doggie bag은 식당에서 손님이 먹고 남은 음식을 넣어 주는 봉지예요. 이 말은 60년대부터 사용되었는데, 남은 음식을 집에 싸가서 개에게 준다는 표현에서 유래했다고 해요. 아마도 과거에 식당에서 식사를 하고 난 뒤에 남은 음식을 포장해 달라고 하기 민망해서 생겨난 표현이 아닐까요?

특강 | Creative Visual Review 창의·융합·코딩

A 그림에서 연상되는 단어와 뜻을 찾아 써 봅시다.

1

2

3

4

5

6

learn	enjoy	run
drink	give	help

주다	돕다, 도와주다	배우다
달리다	즐기다, 즐거워하다	마시다

Answers p. 6

B 우리말 뜻을 참고하여 철자를 바르게 배열해 봅시다.

1 olko 보다, 찾다, ~하게 보이다

2 bceemo ~이 되다

3 iwert 쓰다

4 ecols (눈을) 감다, 닫다, 덮다

5 tca 행동하다, 연기하다

6 kmae 만들다, (~되도록) 하다

7 ojni 함께하다, 가입하다

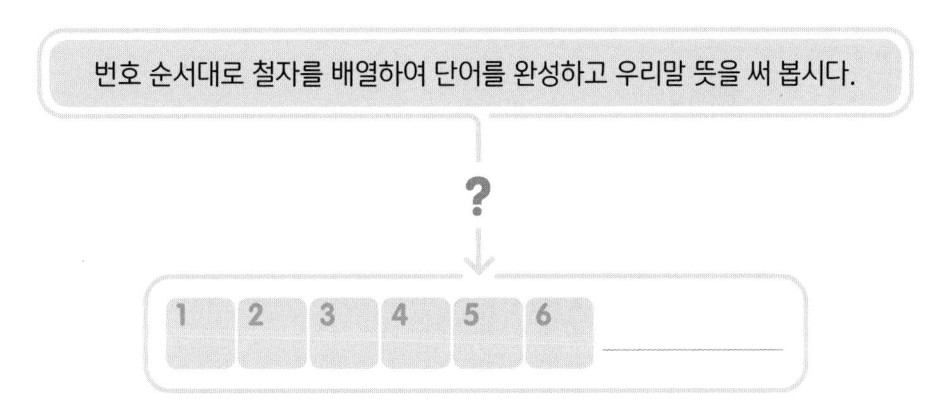
번호 순서대로 철자를 배열하여 단어를 완성하고 우리말 뜻을 써 봅시다.
?
1 2 3 4 5 6

특강 | Creative Visual Review 창의·융합·코딩

C 크로스워드 퍼즐을 완성해 봅시다.

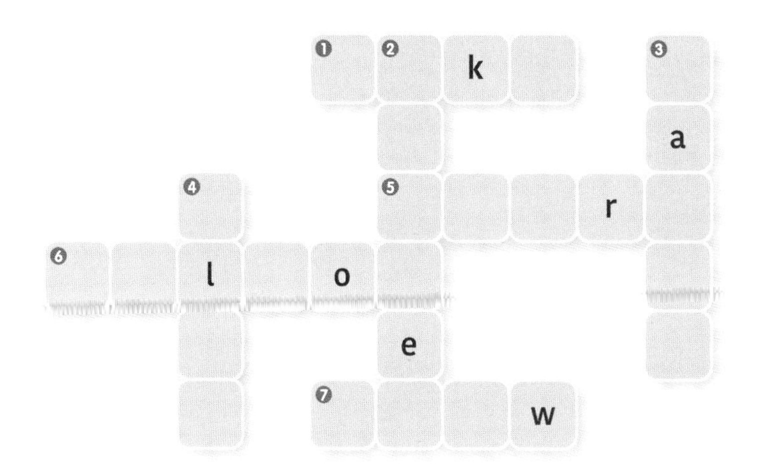

Across

1. It's hot. ________ some water. 덥단다. 물을 가져가렴.
5. The class will ________ soon. 수업이 곧 시작할 것이다.
6. 따라가다[오다], 따르다: ________
7. 

Down

2. I can't ________ your questions. 나는 네 질문에 답할 수 없다.
3. learn how to ________ fish 물고기 잡는 방법을 배우다
4. ________ chess 체스를 두다

Answers p. 6

D 빈칸에 알맞은 단어를 완성한 뒤, 보라색 칸의 번호 순서대로 철자를 배열하여 써 봅시다.

1 She [ ] r [1] t [ ] the Harry Potter series.

그녀는 해리포터 시리즈를 썼다.

2 Can you [2] o [ ] [ ] to my birthday party?

내 생일에 올 수 있니?

3 He learned to [3] c [ ] when he was 10.

그는 열 살 때 연기하는 것을 배웠다.

4 Please, l [ ] [ ] t [ ] [4] and repeat.

듣고 따라해 주세요.

5 I want something to [5] [ ] i [ ] k.

나는 마실 것을 원한다.

6 E [ ] j [6] [ ] yourself!

마음껏 즐기세요!

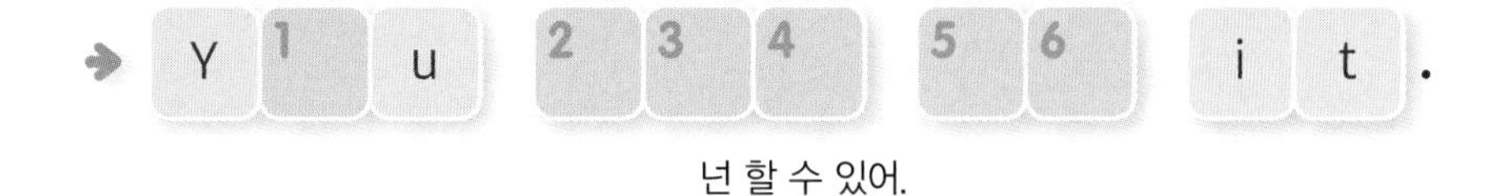

넌 할 수 있어.

1주 특강

누구나 100점 테스트

[01-02] 그림을 보고, 우리말 뜻에 해당하는 단어를 써 봅시다.

01

대답하다 :

02

놀다, 하다, 연주하다 :

[03-05] 밑줄 친 단어의 뜻으로 알맞은 것을 골라 봅시다.

03

He <u>asked</u> me to sit down.

a. 연기했다　b. 즐겼다　c. 부탁했다　d. 보았다

04

I can't <u>see</u> why she is angry.

a. 부르다　b. 말하다　c. 찾다　d. 이해하다

05

I will <u>call</u> you back.

a. 가입하다　b. 전화하다　c. 주다　d. 큰 소리로 말하다

Answers p. 6

[06-07] 빈칸에 들어갈 알맞은 단어를 골라 봅시다.

06 I don't know what to ________. 나는 무엇을 할지 모르겠다.

a. look b. do c. wait d. speak

07 Jisu ________ 2cm in a month. 지수는 한 달에 2센티미터 컸다.

a. wrote b. caught c. took d. grew

[08-10] 그림을 보고, 알맞은 단어를 골라 문장을 다시 써 봅시다.

08 He will (join / buy) a green shirt.

➡

09 I (practice / follow) the road to school.

➡

10 It (starts / runs) to rain.

➡

2주에는 무엇을 공부할까? 1

만화를 읽으며 단어의 뜻을 추측해 봅시다.

01 wash ☐ 씻다 ☐ 끝내다, 마치다

02 cut ☐ 유지하다, ~을 계속하다 ☐ 자르다

03 die ☐ 울다, 외치다 ☐ 죽다

04 kill ☐ 죽이다 ☐ 치다, 때리다

Answers p. 7

05 lift ☐ 흔들다 ☐ 들어 올리다

06 remember ☐ 보다, 지켜보다 ☐ 기억하다

07 live ☐ 사용하다, 쓰다 ☐ 살다

08 feed ☐ 먹이를 주다, 먹이다 ☐ 원하다, 바라다

2주 2주에는 무엇을 공부할까? ❷

❷-1 그림을 보고 연상되는 단어를 골라 봅시다. Answers p. 7

01

▢ add ▢ feel

02

▢ kick ▢ draw

03

▢ watch ▢ cry

04

▢ break ▢ lift

05

▢ drive ▢ hit

06

▢ talk ▢ fail

2-2 그림을 보고 연상되는 단어를 찾아 써 봅시다.

Answers p. 7

begin [bigín]

시작하다

과거	began
과거분사	begun
현재분사	beginning

유의어 start

The class begins at 9.

수업은 9시에 시작한다.

exercise [éksərsàiz]

운동하다

과거	exercised
과거분사	exercised
현재분사	exercising

명사 운동

I exercise regularly.

나는 규칙적으로 운동한다.

hear [hiər]

듣다, 들리다

과거	heard
과거분사	heard
현재분사	hearing

People heard the bell ring.

사람들은 종이 울리는 것을 들었다.

draw [drɔː]

1그리다 2끌어당기다

과거	drew
과거분사	drawn
현재분사	drawing

유의어 1paint 2pull

The monkey draws a painting.

그 원숭이는 그림을 그린다.

His work draws our attention.

그의 작품은 우리의 관심을 끈다.

어휘 기초 확인

Answers p. 7

A 영어는 우리말로, 우리말은 영어로 쓰기

01	exercise		05	그리다, 끌어당기다	
02	hear		06	듣다, 들리다	
03	draw		07	시작하다	
04	begin		08	운동하다	

2주 1일

B 빈칸에 알맞은 말 넣어 완성하기

01 ______ the race 경주를 시작하다

02 ______ the voice 목소리를 듣다

03 ______ twice a week 일주일에 두 번 운동하다

04 ______ a line 선을 긋다

C 알맞은 말 골라 쓰기

begin	exercise	drew	heard

01 They ______ a knock at the door. 그들은 문을 두드리는 소리를 들었다.

02 I ______ every morning. 나는 매일 아침에 운동한다.

03 He ______ the picture of himself. 그는 자신을 그렸다.

04 The man will ______ his story. 그 남자는 그의 이야기를 시작할 것이다.

tell [tel]

말하다, 알려주다

과거	told
과거분사	told
현재분사	telling

Dad told me scary stories.
아빠는 나에게 무서운 이야기를 말했다.

break [breik]

[1]깨다, 부서지다 [2]고장나다

과거	broke
과거분사	broken
현재분사	breaking

The boy broke the window.
그 소년은 창문을 깼다.
My clock was broken. 내 시계가 고장났다.

wash [waʃ]

씻다

과거	washed
과거분사	washed
현재분사	washing

유의어 clean 닦다, 청소하다

He washes the car on weekends.
그는 주말마다 세차한다.

cut [kʌt]

자르다

과거	cut
과거분사	cut
현재분사	cutting

I cut the pizza in half.
나는 피자를 반으로 잘랐다.

어휘 기초 확인

Answers p. 7

A 영어는 우리말로, 우리말은 영어로 쓰기

01 tell

02 wash

03 cut

04 break

05 깨다, 부서지다, 고장나다

06 자르다

07 말하다, 알려주다

08 씻다

B 빈칸에 알맞은 말 넣어 완성하기

01 ________ your hands 네 손을 씻다

02 ________ the bread 빵을 자르다

03 ________ a lie 거짓말을 하다

04 ________ my leg 내 다리가 부러지다

C 괄호 안의 철자를 바르게 배열하여 쓰기

01 My brother ________ (hsewas) the dishes. 내 남동생은 설거지를 한다.

02 The team ________ (korbe) the world record. 그 팀은 세계 기록을 깼다.

03 He ________ (tuc) the cake into six pieces. 그는 케이크를 6조각으로 잘랐다.

04 She ________ (dtol) us the surprising news. 그녀는 우리에게 놀라운 소식을 말했다.

2주 1일

2주 1일 어휘 집중 연습

A 단어와 우리말 뜻 연결하기

01	wash	a. 시작하다
02	draw	b. 듣다, 들리다
03	begin	c. 말하다, 알려주다
04	tell	d. 운동하다
05	hear	e. 그리다, 끌어당기다
06	exercise	f. 씻다

B 밑줄 친 부분에 유의하여 알맞은 말 고르기

01 그녀는 진실을 말하고 있었다.

→ She was (hearing / telling) the truth.

02 그는 고기를 작은 조각으로 잘랐다.

→ He (cut / drew) the meat into small pieces.

03 나는 발소리를 들었다.

→ I (heard / broke) the sound of footsteps.

04 아빠는 씻고 잠자리에 드셨다.

→ Dad (washed / exercised) and went to bed.

Answers p. 7

C 빈칸에 알맞은 철자를 넣어 문장 완성하기

01 폭우가 내리기 시작했다.

→ Heavy rain [b][ ][ ][a][ ] to fall.

02 꽃병이 깨졌다.

→ The vase was [ ][ ][o][ ][ ][n].

03 그 예술가는 많은 그림을 그렸다.

→ The artist [ ][ ][e][ ] a lot of paintings.

04 너는 매일 운동을 해야 한다.

→ You should [ ][x][ ][ ][ ][ ][s][ ] every day.

2주 1일 누적 테스트 영어는 우리말로, 우리말은 영어로 쓰기

01	wash		09	자르다	
02	exercise		10	씻다	
03	hear		11	그리다, 끌어당기다	
04	cut		12	운동하다	
05	draw		13	시작하다	
06	break		14	말하다, 알려주다	
07	begin		15	깨다, 부서지다, 고장나다	
08	tell		16	듣다, 들리다	

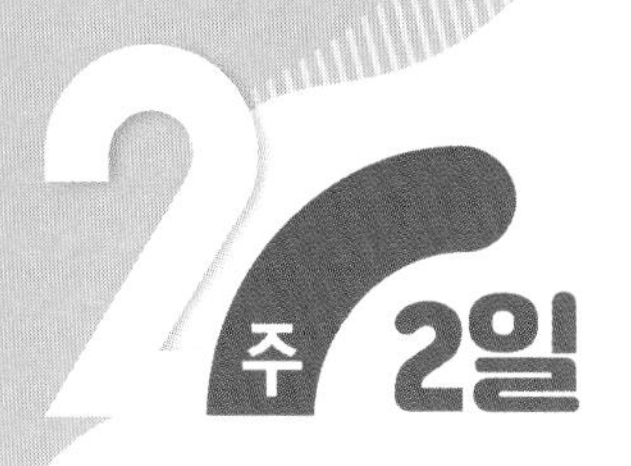

cry [krai]

[1]울다 [2]외치다

과거	cried
과거분사	cried
현재분사	crying

The baby cries loudly.
그 아기는 크게 운다.
He is crying for help.
그는 도와 달라고 외치고 있다.

feel [fi:l]

느끼다

과거	felt
과거분사	felt
현재분사	feeling

I feel happy when I'm with you.
나는 너와 함께 있을 때 행복함을 느낀다.

hit [hit]

치다, 때리다

과거	hit
과거분사	hit
현재분사	hitting

The baseball player hits the ball.
그 야구 선수는 공을 친다.

watch [watʃ]

보다, 지켜보다

과거	watched
과거분사	watched
현재분사	watching

명사 시계

I watched the shooting stars.
나는 별똥별을 보았다.

어휘 기초 확인

Answers p. 8

A 영어는 우리말로, 우리말은 영어로 쓰기

01 feel

02 watch

03 hit

04 cry

05 느끼다

06 울다, 외치다

07 치다, 때리다

08 보다, 지켜보다

B 빈칸에 알맞은 말 넣어 완성하기

01 begin to ______ 울기 시작하다

02 ______ the wall 벽을 치다

03 ______ the movie 영화를 보다

04 ______ better 기분이 좋아지다

C 괄호 안의 철자를 바르게 배열하여 쓰기

01 He ______ TV alone. 그는 혼자서 TV를 봤다.
(cathdew)

02 The car almost ______ me. 그 차는 나를 거의 칠뻔 했다.
(tih)

03 They ______ tired and hungry. 그들은 피곤함과 배고픔을 느낀다.
(eelf)

04 I have never ______ in front of people. 나는 사람들 앞에서 운 적이 없다.
(eidrc)

climb [klaim]

오르다, 올라가다

과거	climbed
과거분사	climbed
현재분사	climbing

She climbs the mountain.
그녀는 산을 오른다.

finish [fíniʃ]

끝내다, 마치다

과거	finished
과거분사	finished
현재분사	finishing

유의어 end

The runner finished the race.
주자는 경주를 마쳤다.

use [juːz]

사용하다, 쓰다

과거	used
과거분사	used
현재분사	using

I use my phone to take pictures.
나는 사진을 찍기 위해 내 전화기를 사용한다.

study [stʌ́di]

공부하다

과거	studied
과거분사	studied
현재분사	studying

비교 learn 배우다

I decided to study hard.
나는 열심히 공부하기로 결심했다.

어휘 기초 확인

Answers p. 8

A 영어는 우리말로, 우리말은 영어로 쓰기

01 finish

02 use

03 study

04 climb

05 공부하다

06 오르다, 올라가다

07 끝내다, 마치다

08 사용하다, 쓰다

B 빈칸에 알맞은 말 넣어 완성하기

01 ________ stairs 계단을 이용하다

02 ________ on time 제시간에 끝내다

03 ________ the tree 나무에 오르다

04 ________ science 과학을 공부하다

C 알맞은 말 골라 쓰기

use	climbed	study	finished

01 I like to ________ math. 나는 수학 공부하는 것을 좋아한다.

02 He ________ his homework last night. 그는 어젯밤에 숙제를 끝냈다.

03 Bears ________ hands to eat honey. 곰은 꿀을 먹기 위해 손을 사용한다.

04 They ________ the highest mountain in Korea. 그들은 한국에서 가장 높은 산에 올랐다.

2주 2일 어휘 집중 연습

A 단어와 우리말 뜻 연결하기

01	study •	• a. 느끼다
02	climb •	• b. 보다, 지켜보다
03	watch •	• c. 끝내다, 마치다
04	finish •	• d. 공부하다
05	feel •	• e. 오르다, 올라가다
06	hit •	• f. 치다, 때리다

B 밑줄 친 부분에 유의하여 알맞은 말 고르기

01 나는 무릎에 고통을 느꼈다.

➔ I (cried / felt) a pain in my knee.

02 그녀는 연설을 마쳤다.

➔ She (finished / used) her speech.

03 그는 친구들과 함께 공을 치고 있다.

➔ He is (watching / hitting) the ball with friends.

04 그들은 학교에서 현대 미술을 공부한다.

➔ They (study / climb) modern art in school.

Answers p. 8

C 빈칸에 알맞은 철자를 넣어 문장 완성하기

01 이 영화는 나를 울게 했다.

➔ This movie made me [ ][ ][y].

02 그는 날고 있는 연을 본다.

➔ He [w][ ][ ][ ][ ][ ][s] the flying kite.

03 그 아이는 먹기 위해 포크를 사용하고 있다.

➔ The kid is [u][ ][ ][n][g] a fork to eat.

04 나는 천천히 계단을 올라갔다.

➔ I slowly [ ][ ][ ][m][ ][ ][d] the stairs.

2주 1~2일 누적 테스트 영어는 우리말로, 우리말은 영어로 쓰기

01	break	
02	draw	
03	exercise	
04	feel	
05	hear	
06	tell	
07	climb	
08	study	
09	보다, 지켜보다	
10	울다, 외치다	
11	시작하다	
12	자르다	
13	사용하다, 쓰다	
14	씻다	
15	치다, 때리다	
16	끝내다, 마치다	

talk [tɔːk]

말하다, 이야기하다

과거	talked
과거분사	talked
현재분사	talking

She always talks too much.
그녀는 항상 말을 너무 많이 한다.

agree [əgríː]

동의하다, 찬성하다

과거	agreed
과거분사	agreed
현재분사	agreeing

반의어 disagree 반대하다

We all agreed at the meeting.
회의에서 우리는 모두 동의했다.

stop [stap]

멈추다

과거	stopped
과거분사	stopped
현재분사	stopping

명사 멈춤, 정류장

The car stopped at a green light.
차는 녹색불에 멈췄다.

know [nou]

알다, 알고 있다

과거	knew
과거분사	known
현재분사	knowing

I know some German words.
나는 독일어 단어를 좀 알고 있다.

어휘 기초 확인

Answers p. 8

A 영어는 우리말로, 우리말은 영어로 쓰기

01	talk		05	멈추다	
02	stop		06	알다, 알고 있다	
03	agree		07	말하다, 이야기하다	
04	know		08	동의하다, 찬성하다	

B 빈칸에 알맞은 말 넣어 완성하기

01 ____________ to meet
만나기로 동의하다

03 ____________ his name
그의 이름을 알다

02 ____________ the music 음악을 멈추다

04 ____________ quietly 조용히 말하다

C 괄호 안의 철자를 바르게 배열하여 쓰기

01 He didn't ____________ the answer. 그는 답을 알지 못했다.
(wnko)

02 They ____________ with his idea. 그들은 그의 생각에 동의했다.
(gderae)

03 The phone never ____________ ringing. 그 전화기 벨소리가 멈추지 않는다.
(ssotp)

04 I can't ____________ about the issue. 나는 그 문제에 관해 말할 수 없다.
(ktal)

visit [vízit]

방문하다

과거	visited
과거분사	visited
현재분사	visiting

They visited a friend's house.

그들은 친구의 집을 방문했다.

build [bild]

짓다, 건설하다

과거	built
과거분사	built
현재분사	building

The Egyptians built the Pyramids.

이집트인들은 피라미드를 건설했다.

want [wɑnt]

원하다, 바라다

과거	wanted
과거분사	wanted
현재분사	잘 안 씀.

유의어 wish for

I'm thirsty. I want some water.

나는 목이 마르다. 나는 물을 좀 원한다.

feed [fi:d]

먹이를 주다, 먹이다

과거	fed
과거분사	fed
현재분사	feeding

The girl feeds the dogs.

그 소녀는 개들에게 먹이를 준다.

어휘 기초 확인

Answers p. 9

A 영어는 우리말로, 우리말은 영어로 쓰기

01 want

02 build

03 feed

04 visit

05 짓다, 건설하다

06 방문하다

07 먹이를 주다, 먹이다

08 원하다, 바라다

B 빈칸에 알맞은 말 넣어 완성하기

01 ________ my aunt 이모를 방문하다

02 ________ to eat 먹기를 원하다

03 ________ the cat 고양이에게 먹이를 주다

04 ________ a house 집을 짓다

C 알맞은 말 골라 쓰기

feed	built	visited	want

01 We ________ the art museum. 우리는 미술관을 방문했다.

02 They ________ the bridge. 그들은 다리를 건설했다.

03 Do you really ________ to leave now? 너는 정말로 지금 떠나기를 원하니?

04 She should ________ the baby. 그녀는 아기에게 밥을 먹여야 한다.

2주 3일 어휘 집중 연습

A 단어와 우리말 뜻 연결하기

01 agree •　　• a. 원하다, 바라다

02 visit •　　• b. 방문하다

03 build •　　• c. 알다, 알고 있다

04 know •　　• d. 동의하다, 찬성하다

05 feed •　　• e. 짓다, 건설하다

06 want •　　• f. 먹이를 주다, 먹이다

B 밑줄 친 부분에 유의하여 알맞은 말 고르기

01 그 남자는 자신의 문제를 <u>말했다</u>.

➔ The man (talked / knew) about his problem.

02 그녀는 오늘 집에 머물기를 <u>원한다</u>.

➔ She (builds / wants) to stay at home today.

03 나는 공원에 있는 오리에게 <u>먹이를 줬다</u>.

➔ I (fed / visited) the ducks in the park.

04 그는 책 읽기를 <u>멈추고</u> 잠시 휴식을 취했다.

➔ He (stopped / agreed) reading and took a rest.

Answers p. 9

C 빈칸에 알맞은 철자를 넣어 문장 완성하기

01 그녀는 우리에 관한 모든 것을 알고 있다.

➔ She k _ _ _ s everything about us.

02 관광객들은 궁궐을 방문했다.

➔ The tourists v _ _ _ _ e d the palace.

03 아버지는 직접 집을 지었다.

➔ My father _ _ i l _ the house himself.

04 우리는 내일 아침 일찍 만나기로 동의했다.

➔ We a _ r _ _ d to meet early tomorrow.

2주 2~3일 누적 테스트 영어는 우리말로, 우리말은 영어로 쓰기

01	know		09	원하다, 바라다	
02	cry		10	느끼다	
03	build		11	오르다, 올라가다	
04	feed		12	끝내다, 마치다	
05	use		13	공부하다	
06	agree		14	멈추다	
07	talk		15	방문하다	
08	hit		16	보다, 지켜보다	

hope [houp]

바라다, 희망하다

과거	hoped
과거분사	hoped
현재분사	hoping

I hope it will be sunny tomorrow.

나는 내일 화창하기를 바란다.

invite [inváit]

초대하다

과거	invited
과거분사	invited
현재분사	inviting

He invited us to the show.

그는 우리를 공연에 초대했다.

keep [ki:p]

유지하다, ~을 계속하다

과거	kept
과거분사	kept
현재분사	keeping

Please keep the park clean.

공원을 깨끗하게 유지해 주세요.

plan [plæn]

계획하다

과거	planned
과거분사	planned
현재분사	planning

명사 계획

We plan to have a surprise party.

우리는 깜짝 파티를 열 계획이다.

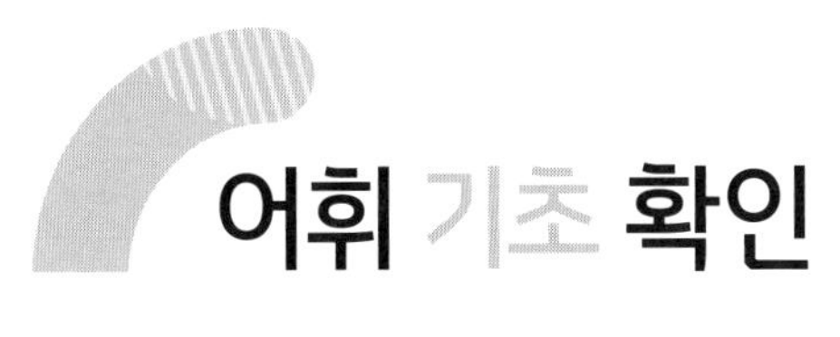

어휘 기초 확인

Answers p. 9

A 영어는 우리말로, 우리말은 영어로 쓰기

01 plan

02 invite

03 hope

04 keep

05 바라다, 희망하다

06 유지하다, ~을 계속하다

07 초대하다

08 계획하다

B 빈칸에 알맞은 말 넣어 완성하기

01 ________ a promise 약속을 지키다

02 ________ to stay 머물기를 희망하다

03 ________ me 나를 초대하다

04 ________ ahead 미리 계획하다

C 알맞은 말 골라 쓰기

plans keeps hope invite

01 I will ________ her to dinner. 나는 그녀를 저녁 식사에 초대할 것이다.

02 Coffee ________ me awake. 커피는 나를 깨어있게 한다.

03 He ________ a trip to Europe. 그는 유럽으로 여행을 계획한다.

04 We ________ everything will be fine. 우리는 모든 것이 잘 되길 희망한다.

die [dai]

죽다

과거	died
과거분사	died
현재분사	dying

유의어 pass away 돌아가시다

The flowers are dying.

그 꽃은 죽어가고 있다.

fail [feil]

실패하다, (시험에) 떨어지다

과거	failed
과거분사	failed
현재분사	failing

반의어 succeed 성공하다

The penguin failed to fly.

그 펭귄은 나는 데 실패했다.

forget [fərgét]

잊다, 잊어버리다

과거	forgot
과거분사	forgotten
현재분사	forgetting

I forgot to bring the wallet.

나는 지갑을 가져오는 것을 잊었다.

remember [rimémbər]

기억하다

과거	remembered
과거분사	remembered
현재분사	remembering

I remembered my trip to London.

나는 런던 여행을 기억했다.

어휘 기초 확인

Answers p. 9

A 영어는 우리말로, 우리말은 영어로 쓰기

01 die

02 fail

03 forget

04 remember

05 죽다

06 기억하다

07 실패하다, (시험에) 떨어지다

08 잊다, 잊어버리다

B 빈칸에 알맞은 말 넣어 완성하기

01 ________ my math test 수학 시험에 떨어지다

02 ________ of cancer 암으로 죽다

03 ________ me 나를 기억하다

04 ________ the past 과거를 잊다

C 괄호 안의 철자를 바르게 배열하여 쓰기

01 I ________ his birthday. 나는 그의 생일을 기억한다. (mebmrere)

02 The writer ________ yesterday. 그 작가는 어제 죽었다. (eidd)

03 She ________ to find her friend. 그녀는 친구를 찾는 것에 실패했다. (laidef)

04 Don't ________ to feed the goldfish. 금붕어에게 먹이 주는 것을 잊지 마라. (grefto)

2주 4일 어휘 집중 연습

A 단어와 우리말 뜻 연결하기

01 plan •

02 forget •

03 fail •

04 hope •

05 invite •

06 keep •

• a. 초대하다

• b. 잊다, 잊어버리다

• c. 유지하다, ~을 계속하다

• d. 바라다, 희망하다

• e. 계획하다

• f. 실패하다, (시험에) 떨어지다

B 밑줄 친 부분에 유의하여 알맞은 말 고르기

01 우리는 너를 다시 보기를 희망했다.

➔ We (failed / hoped) to see you again.

02 그 학급은 농장을 방문하는 것을 계획했다.

➔ The class (kept / planned) to visit the farm.

03 많은 아이들이 굶주림으로 죽어가고 있다.

➔ Many children are (inviting / dying) of hunger.

04 나는 그의 전화번호를 기억하지 못한다.

➔ I can't (remember / forget) his phone number.

Answers p. 10

C 빈칸에 알맞은 철자를 넣어 문장 완성하기

01 그는 나를 파티에 초대했다.

→ He i _ _ _ _ e d me to the party.

02 이 촛불은 수프를 따뜻하게 유지한다.

→ This candle k _ _ _ s the soup warm.

03 우리는 상자를 여는 데 실패했다.

→ We _ a _ _ e d to open the box.

04 나는 컴퓨터를 끄는 것을 잊었다.

→ I f _ _ _ o _ to turn off the computer.

2주 4일

2주 3~4일 누적 테스트 영어는 우리말로, 우리말은 영어로 쓰기

01	want	09	잊다, 잊어버리다
02	talk	10	기억하다
03	agree	11	초대하다
04	keep	12	멈추다
05	fail	13	죽다
06	build	14	먹이를 주다, 먹이다
07	hope	15	계획하다
08	visit	16	알다, 알고 있다

drive [draiv]

1 운전하다 2 태워주다

과거	drove
과거분사	driven
현재분사	driving

We drove the car very slowly.
우리는 매우 천천히 차를 운전했다.

kick [kik]

(발로) 차다

과거	kicked
과거분사	kicked
현재분사	kicking

She kicked the ball far away.
그녀는 멀리 공을 찼다.

live [liv]

살다

과거	lived
과거분사	lived
현재분사	living

The birds live in the tree.
그 새들은 나무에 산다.

move [mu:v]

1 움직이다, 옮기다 2 이사하다

과거	moved
과거분사	moved
현재분사	moving

He can move the box easily.
그는 쉽게 상자를 옮길 수 있다.
My friend moved to Canada.
내 친구는 캐나다로 이사했다.

어휘 기초 확인

Answers p. 10

A 영어는 우리말로, 우리말은 영어로 쓰기

01 live ____

02 move ____

03 drive ____

04 kick ____

05 운전하다, 태워주다 ____

06 (발로) 차다 ____

07 살다 ____

08 움직이다, 옮기다, 이사하다 ____

B 알맞은 말 넣어 완성하기

01 ________ me in the back
내 등을 차다

02 ________ me home
나를 집까지 태워주다

03 ________ to Mokpo 목포로 이사하다

04 ________ in the city 도시에 살다

C 알맞은 말 골라 쓰기

kick	live	drive	move

01 She can feel the baby ________ inside her. 그녀는 그녀 안에서 아기가 차는 것을 느낄 수 있다.

02 My parents ________ to work every day. 부모님은 매일 차로 출근하신다.

03 The ants ________ quickly. 개미들은 빠르게 움직인다.

04 My grandparents ________ in London. 내 조부모님은 런던에 사신다.

add [æd]

더하다, 추가하다

과거	added
과거분사	added
현재분사	adding

I added a cup of milk to the mixture.
나는 반죽에 한 컵의 우유를 추가했다.

kill [kil]

죽이다

과거	killed
과거분사	killed
현재분사	killing

The heat kills the bacteria.
열은 박테리아를 죽인다.

shake [ʃeik]

1 흔들다 2 고개를 젓다

과거	shook
과거분사	shaken
현재분사	shaking

The dog is shaking his body.
그 개는 몸을 흔들고 있다.
He shook his head slowly.
그는 천천히 고개를 저었다.

lift [lift]

들어 올리다

과거	lifted
과거분사	lifted
현재분사	lifting

The man lifts a heavy rock.
그 남자는 무거운 바위를 들어 올린다.

어휘 기초 확인

Answers p. 10

A 영어는 우리말로, 우리말은 영어로 쓰기

01 add ______

02 kill ______

03 lift ______

04 shake ______

05 죽이다 ______

06 더하다, 추가하다 ______

07 흔들다, 고개를 젓다 ______

08 들어 올리다 ______

B 빈칸에 알맞은 말 넣어 완성하기

01 ______ notes 메모를 추가하다

02 ______ the car 차를 들어 올리다

03 ______ the enemy 적을 죽이다

04 ______ his head 고개를 젓다

C 괄호 안의 철자를 바르게 배열하여 쓰기

01 I want to ______ the salt now. 나는 지금 소금을 넣길 원한다.
(dda)

02 ______ the bottle before drinking. 마시기 전에 병을 흔들어라.
(sekah)

03 It can ______ the bugs. 그것은 벌레를 죽일 수 있다.
(ilkl)

04 Can you ______ the rope above your head? 너는 줄을 네 머리 위로 들어 올릴 수 있니?
(lfti)

2주 5일 어휘 집중 연습

A 단어와 우리말 뜻 연결하기

01	add	•	• a. 들어 올리다
02	shake	•	• b. 운전하다, 태워주다
03	move	•	• c. 흔들다, 고개를 젓다
04	lift	•	• d. 살다
05	live	•	• e. 움직이다, 옮기다, 이사하다
06	drive	•	• f. 더하다, 추가하다

B 밑줄 친 부분에 유의하여 알맞은 말 고르기

01 그는 그들을 역까지 태워주었다.

➔ He (drove / kicked) them to the station.

02 나는 그 상자를 들어 올릴 만큼 힘이 세다.

➔ I am strong enough to (lift / live) the box.

03 그녀의 목소리는 분노로 떨리고 있었다.

➔ Her voice was (shaking / killing) with anger.

04 거북은 천천히 해변으로 움직인다.

➔ The turtle (adds / moves) slowly to the beach.

Answers p. 10

C 빈칸에 알맞은 철자를 넣어 문장 완성하기

01 그는 실수로 의자를 찼다.

→ He accidently k _ _ _ e d the chair.

02 공룡들은 한 때 알래스카에 살았다.

→ Dinosaurs once _ i _ _ d in Alaska.

03 요리사는 샐러드에 올리브 오일을 더했다.

→ The cook _ d _ s olive oil on salads.

04 그 남자는 전투에서 죽었다.

→ The man was k _ _ _ e d in the battle.

2주 5일

2주 4~5일 누적 테스트 영어는 우리말로, 우리말은 영어로 쓰기

01	add		09	(발로) 차다	
02	die		10	죽이다	
03	drive		11	들어 올리다	
04	fail		12	살다	
05	forget		13	움직이다, 옮기다, 이사하다	
06	shake		14	계획하다	
07	invite		15	기억하다	
08	keep		16	바라다, 희망하다	

특강 | Creative Visual Review 창의·융합·코딩

공부한 어휘와 관련된 이야기를 읽으며 뜻을 확인해 봅시다.

I hit the books last night.
오늘 좀 피곤하네.

hit the books?
열심히 공부했다는 말이지?
이런 재미있는 영어 표현을 좀 더 알아 볼까?

kick the bucket

영어에는 kick the bucket(양동이를 차다)이라는 표현이 있어요. 이것은 die(죽다)를 의미해요. 그래서 우리가 흔히 사용하는 Bucket List(버킷 리스트)는 죽음을 앞둔 사람이 죽기 전에 하고 싶은 일을 적은 목록을 의미해요.

hit the books

hit the books? 책을 치다? 무슨 말인지 궁금하지요? study hard 즉, '열심히 공부하다'라는 의미예요. 공부와 관련된 다른 표현으로는 bookworm(책벌레), have one's nose in a book (책벌레이다) 등이 있어요.

draw a blank

draw a blank는 문자 그대로는 '공백을 그리다'라는 말인데, 무슨 뜻인지 짐작할 수 있나요? 바로 fail(실패하다)을 의미해요. 무엇을 할지, 무슨 말을 해야 할지 머리가 텅 비었다는 것에서 나온 표현이에요.

특강 | Creative Visual Review 창의·융합·코딩

A 그림에서 연상되는 단어와 뜻을 찾아 써 봅시다.

1

2

3

4

5
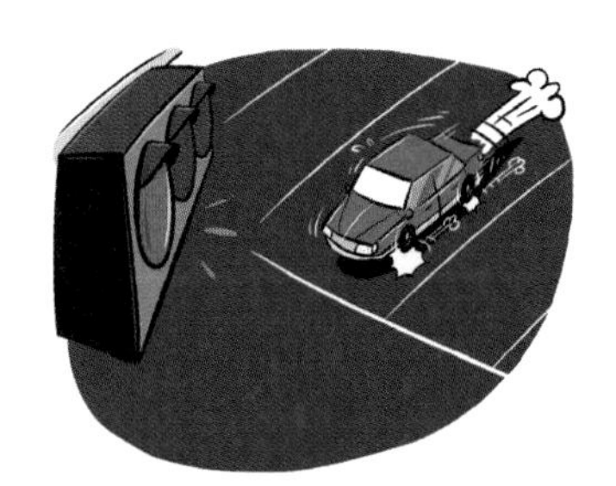

6

stop	forget	shake
hope	feed	wash

씻다	흔들다	잊다, 잊어버리다
멈추다	바라다, 희망하다	먹이를 주다, 먹이다

Answers p. 11

B 우리말 뜻을 참고하여 철자를 바르게 배열해 봅시다.

1 irevd 운전하다, 태워주다 (1, 2)

2 evmo 움직이다, 옮기다, 이사하다 (3)

3 geinb 시작하다 (4)

4 blcmi 오르다, 올라가다 (5)

5 lbiud 짓다, 건설하다 (6)

6 sue 사용하다, 쓰다 (7)

7 icxreese 운동하다 (8)

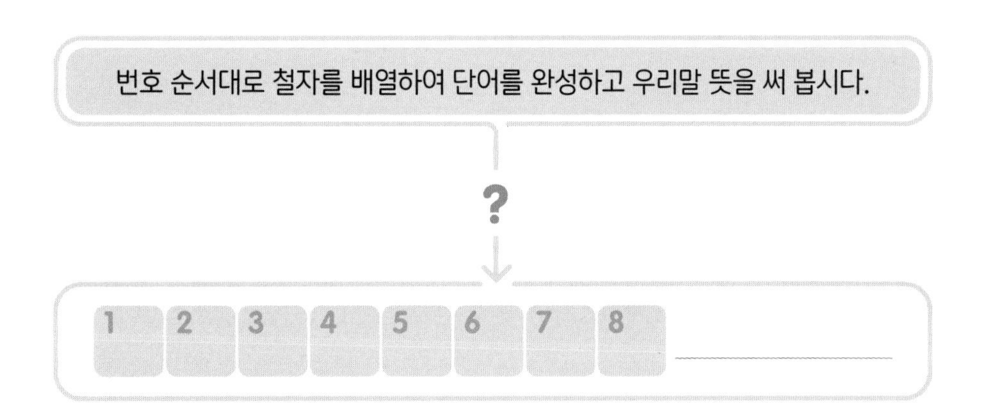

번호 순서대로 철자를 배열하여 단어를 완성하고 우리말 뜻을 써 봅시다.
?
1 2 3 4 5 6 7 8

C 그림을 보고, 대화를 완성해 봅시다.

1 A: He just ______ a home run. 그가 막 홈런을 쳤어.

B: Yeah! I ______ so excited. 와! 나는 매우 신이 나.

2 A: What are you going to do this winter? 너는 이번 겨울에 뭐 할 거니?

B: I'm ______ to go to London. 나는 런던에 가려고 계획하고 있어.

3 A: Wow, the monkey can ______ a painting.

와, 원숭이가 그림을 그릴 수 있네.

B: That's amazing.

정말 놀랍다.

Answers p. 11

D 크로스워드 퍼즐을 완성해 봅시다.

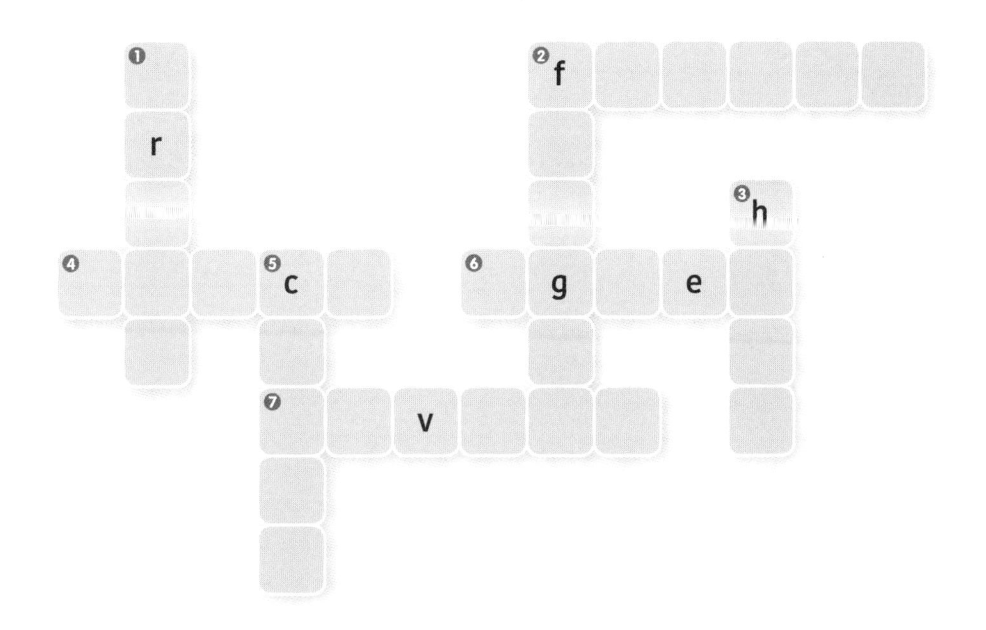

Down

1. ________ the law 법을 어기다
2. remember ↔ ________
3. ________ the news 소식을 듣다
5. The insects ________ the sand hill. 그 곤충들은 모래 언덕을 오른다.

Across

2. Let's ________ the work. 일을 끝내자.
4. 보다, 지켜보다: ________
6. disagree ↔ ________
7. ________ the friends 친구들을 초대하다

누구나 100점 테스트

[01-02] 그림을 보고, 우리말 뜻에 해당하는 단어를 써 봅시다.

01

운동하다 :

02

방문하다 :

[03-05] 밑줄 친 단어의 뜻으로 알맞은 것을 골라 봅시다.

03

They <u>agreed</u> with his idea.

a. 동의했다 b. 말했다 c. 알고 있었다 d. 기억했다

04

He <u>finished</u> his homework last night.

a. 올랐다 b. 사용했다 c. 끝냈다 d. 시작했다

05

He <u>cut</u> the cake into six pieces.

a. 더했다 b. 잘랐다 c. (발로) 찼다 d. 죽였다

○ Answers p. 11

[06-07] 빈칸에 들어갈 알맞은 단어를 골라 봅시다.

06

The boy ________ the window. 그 소년은 창문을 깼다.

a. broke b. told c. drew d. felt

07

I ________ the shooting stars. 나는 별똥별을 보았다.

a. failed b. climbed c. forgot d. watched

[08-10] 그림을 보고, 알맞은 단어를 골라 문장을 다시 써 봅시다.

08

Please (keep / hope) the park clean.

➲

09

The dog is (lifting / shaking) his body.

➲

10

The Egyptians (built / used) the Pyramids.

➲

3주 3주에는 무엇을 공부할까? 1

만화를 읽으며 단어의 뜻을 추측해 봅시다.

01 guess ☐ 추측하다 ☐ 결정하다

02 stay ☐ 들어가다 ☐ 머무르다

03 need ☐ 빌리다 ☐ 필요하다

04 fry ☐ 굽다, 튀기다 ☐ 던지다

05 miss ☐ 보내다 ☐ 놓치다

Answers p. 12

06 hide ▢ 숨다, 숨기다 ▢ 찾다, 발견하다

07 laugh ▢ 밀다, 누르다 ▢ 웃다

08 choose ▢ 모으다, 수집하다 ▢ 선택하다, 고르다

09 share ▢ 저축하다, 구하다 ▢ 함께 쓰다, 나누다

3주

3주에는 무엇을 공부할까? ❷

❷-1 그림을 보고 연상되는 단어를 골라 봅시다.

Answers p. 12

01

☐ wish ☐ arrive

02

☐ believe ☐ borrow

03

☐ taste ☐ touch

04

☐ lend ☐ leave

05

☐ save ☐ pass

06

☐ shout ☐ show

❷-2 그림을 보고 연상되는 단어를 찾아 써 봅시다.

Answers p. 12

fall	fight	find
walk	decide	bring

arrive [əráiv]

도착하다

과거	arrived
과거분사	arrived
현재분사	arriving

반의어 leave 출발하다

We arrived at the airport.
우리는 공항에 도착했다.

decide [disáid]

결정하다

과거	decided
과거분사	decided
현재분사	deciding

I decided to eat spaghetti.
나는 스파게티를 먹기로 결정했다.

stay [stei]

머무르다

과거	stayed
과거분사	stayed
현재분사	staying

We'll stay home tonight.
우리는 오늘밤에 집에 머물 것이다.

wish [wiʃ]

바라다, 원하다

과거	wished
과거분사	wished
현재분사	wishing

명사 소망, 소원
유의어 want 원하다

I wish for a white Christmas.
나는 눈이 오는 크리스마스를 바란다.

어휘 기초 확인

Answers p. 12

A 영어는 우리말로, 우리말은 영어로 쓰기

01 wish
02 decide
03 arrive
04 stay
05 도착하다
06 바라다, 원하다
07 머무르다
08 결정하다

B 빈칸에 알맞은 말 넣어 완성하기

01 ________ in bed 침대에 머무르다
02 ________ to tell 말하기로 결정하다
03 ________ early 일찍 도착하다
04 if you ________ 당신이 원한다면

C 알맞은 말 골라 쓰기

arrive	stayed	decided	wish

01 We ________ to watch the horror movie. 우리는 공포 영화를 보기로 결정했다.

02 When does the train ________? 기차는 언제 도착하는가?

03 They ________ in Sokcho for a week. 그들은 일주일 동안 속초에 머물렀다.

04 I ________ to join you next time. 나는 다음에 너와 함께 하길 바란다.

laugh [læf]

웃다

과거	laughed
과거분사	laughed
현재분사	laughing

The movie made me laugh out loud.

그 영화는 나를 큰 소리로 웃게 했다.

borrow [bárou]

빌리다

과거	borrowed
과거분사	borrowed
현재분사	borrowing

비교 lend 빌려주다

Can I borrow your pen?

내가 네 펜을 빌릴 수 있니?

hide [haid]

숨다, 숨기다

과거	hid, hided
과거분사	hid, hidden
현재분사	hiding

Let's hide behind the tree.

나무 뒤에 숨자.

need [ni:d]

1 필요하다, 필요로 하다
2 ~해야 한다

과거	needed
과거분사	needed
현재분사	잘 안 씀.

I need new socks. 나는 새 양말이 필요하다.

He needs to do his homework.

그는 숙제를 해야 한다.

어휘 기초 확인

Answers p. 12

A 영어는 우리말로, 우리말은 영어로 쓰기

01 borrow

02 laugh

03 need

04 hide

05 웃다

06 숨다, 숨기다

07 빌리다

08 필요하다, 필요로 하다, ~ 해야 한다

B 빈칸에 알맞은 말 넣어 완성하기

01 ________ a book 책을 한 권 빌리다

02 ________ a lot 많이 웃다

03 ________ my anger 나의 화를 숨기다

04 ________ to clean 청소해야 한다

C 괄호 안의 철자를 바르게 배열하여 쓰기

01 He ________ (dhi) his money under the pillow. 그는 돈을 베개 밑에 숨겼다.

02 My sister always ________ (obrowrs) my earphones. 내 여동생은 항상 내 이어폰을 빌린다.

03 I ________ (dene) your help. 나는 네 도움이 필요하다.

04 Minsu looked at me and ________ (aluhged). 민수는 나를 보고 웃었다.

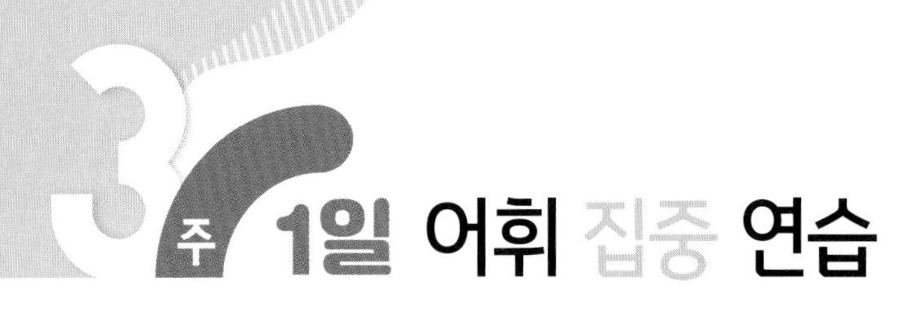

3주 1일 어휘 집중 연습

A 단어와 우리말 뜻 연결하기

01	hide	a. 필요하다, 필요로 하다, ~해야 한다
02	borrow	b. 머무르다
03	arrive	c. 결정하다
04	decide	d. 숨다, 숨기다
05	need	e. 도착하다
06	stay	f. 빌리다

B 밑줄 친 부분에 유의하여 알맞은 말 고르기

01 그는 주머니에 뭔가를 숨기고 있는 것 같다.

➔ I think he is (arriving / hiding) something in his pocket.

02 그녀는 너무 많이 웃어서 울 뻔했다.

➔ She (decided / laughed) so much that she almost cried.

03 우리는 당신이 새해 복 많이 받기를 바랍니다.

➔ We (wish / need) you a happy New Year.

04 나는 도서관에서 그 책을 빌렸다.

➔ I (borrowed / stayed) the book from the library.

Answers p. 12

C 빈칸에 알맞은 철자를 넣어 문장 완성하기

01 당신은 한 달 동안 우리와 함께 머무를 수 있다.

➔ You can [ ][t][ ][y] with us for a month.

02 나는 온라인 수업을 위해 스마트폰이 필요하다.

➔ I [ ][e][ ][ ] a smartphone for online classes.

03 그들은 일찍 집을 떠나기로 결정했다.

➔ They [d][ ][c][ ][ ][ ][d] to leave home early.

04 거기에 도착하면 내게 전화하렴.

➔ Call me when you [ ][r][ ][ ][v][ ] there.

3주 1일

3주 1일 누적 테스트 영어는 우리말로, 우리말은 영어로 쓰기

01	stay		09	결정하다	
02	hide		10	빌리다	
03	arrive		11	도착하다	
04	need		12	바라다, 원하다	
05	wish		13	필요하다, 필요로 하다, ~해야 한다	
06	laugh		14	머무르다	
07	borrow		15	도착하다	
08	decide		16	숨다, 숨기다	

fry [frai]

굽다, 굽히다, 튀기다, 튀겨지다

과거	fried
과거분사	fried
현재분사	frying

Some eggs are frying.

달걀이 구워지고 있다.

taste [teist]

맛이 ~하다, ~ 맛이 나다

과거	tasted
과거분사	tasted
현재분사	tasting

명사 맛, 미각

The ice cream tastes good.

그 아이스크림은 맛이 좋다.

fight [fait]

싸우다

과거	fought
과거분사	fought
현재분사	fighting

명사 싸움

The dog and the cat often fight.

개와 고양이는 자주 싸운다.

guess [ges]

추측하다, 알아내다

과거	guessed
과거분사	guessed
현재분사	guessing

명사 추측, 짐작

Can you guess what it is?

너는 그것이 무엇인지 추측할 수 있니?

어휘 기초 확인

Answers p. 13

A 영어는 우리말로, 우리말은 영어로 쓰기

01 taste

02 guess

03 fight

04 fry

05 추측하다, 알아내다

06 싸우다

07 굽다, 굽히다, 튀기다, 튀겨지다

08 맛이 ~하다, ~ 맛이 나다

B 빈칸에 알맞은 말 넣어 완성하기

01 ________ sweet 달콤한 맛이 나다

02 ________ the onions 양파를 튀기다

03 ________ the truth 진실을 알아내다

04 ________ in the war 전쟁에서 싸우다

C 알맞은 말 골라 쓰기

fight	guess	fry	taste

01 The pancakes ________ delicious. 팬케이크는 맛있는 맛이 난다.

02 Don't ________ with your brother. 네 형과 싸우지 마라.

03 I ________ he is 40 years old. 나는 그가 40세라고 추측한다.

04 He will ________ the potatoes. 그는 감자를 구울 것이다.

win [win]

[1]이기다 [2]얻다

과거	won
과거분사	won
현재분사	winning

반의어 lose 지다

The turtle won the race. 거북이 경주에서 이겼다.

The winner will win a prize.

승자는 상을 받을 것이다.

find [faind]

찾다, 발견하다

과거	found
과거분사	found
현재분사	finding

I will find a four-leaf clover.

나는 네잎 클로버를 찾을 것이다.

bring [briŋ]

가져오다, 가져다주다

과거	brought
과거분사	brought
현재분사	bringing

비교 take 가지고 가다

Bring the ball back, Max.

공 도로 가져와, Max.

push [puʃ]

밀다, 누르다

과거	pushed
과거분사	pushed
현재분사	pushing

반의어 pull 당기다

He pushed the door hard.

그는 힘껏 문을 밀었다.

어휘 기초 확인

Answers p. 13

A 영어는 우리말로, 우리말은 영어로 쓰기

01 find

02 push

03 win

04 bring

05 가져오다, 가져다주다

06 이기다, 얻다

07 찾다, 발견하다

08 밀다, 누르다

B 빈칸에 알맞은 말 넣어 완성하기

01 ________ a pen
펜을 발견하다

02 ________ the button
버튼을 누르다

03 ________ a gold medal
금메달을 따다

04 ________ an umbrella
우산을 가져오다

C 괄호 안의 철자를 바르게 배열하여 쓰기

01 Our team ________ the match. 우리 팀이 경기에서 이겼다.
(nwo)

02 You can ________ friends today. 너는 오늘 친구를 데려와도 된다.
(nbrgi)

03 Don't ________ me. 나를 밀지 마.
(uphs)

04 I haven't ________ my passport. 나는 내 여권을 찾지 못했다.
(ofudn)

3주 2일 어휘 집중 연습

A 단어와 우리말 뜻 연결하기

01 fight •

02 push •

03 bring •

04 taste •

05 find •

06 guess •

• a. 밀다, 누르다

• b. 추측하다, 알아내다

• c. 싸우다

• d. 찾다, 발견하다

• e. 가져오다, 가져다주다

• f. 맛이 ~하다, ~ 맛이 나다

B 밑줄 친 부분에 유의하여 알맞은 말 고르기

01 집에서 도넛을 튀길 때 조심하렴.

➔ Be careful when you (fry / push) donuts at home.

02 누가 게임에서 이길까?

➔ Who is going to (fight / win) the game?

03 그녀는 모든 사람들을 위해 과자를 가져왔다.

➔ She (found / brought) cookies for everyone.

04 이 피자는 짠 맛이 난다.

➔ This pizza (tastes / guesses) salty.

Answers p. 13

C 빈칸에 알맞은 철자를 넣어 문장 완성하기

01 나는 장갑을 찾을 수 없다.

→ I can't [ ][i][ ][ ] my gloves.

02 우리는 탁자를 밀었지만, 움직이지 않았다.

→ We [ ][u][ ][ ][e][d] the table, but it didn't move.

03 이 전화기 케이스가 얼마인지 추측해봐.

→ [ ][u][ ][ ][s] how much this phone case is.

04 나의 쌍둥이 남동생들은 항상 싸운다.

→ My twin brothers [f][ ][g][ ][ ] all the time.

3주 1~2일 누적 테스트 영어는 우리말로, 우리말은 영어로 쓰기

01	win	
02	guess	
03	borrow	
04	need	
05	fry	
06	taste	
07	bring	
08	fight	
09	머무르다	
10	웃다	
11	바라다, 원하다	
12	결정하다	
13	도착하다	
14	찾다, 발견하다	
15	숨다, 숨기다	
16	밀다, 누르다	

3주 3일

lend [lend]

빌려주다

과거	lent
과거분사	lent
현재분사	lending

비교 borrow 빌리다

I will lend you some books.
나는 네게 책을 몇 권 빌려줄 것이다.

carry [kǽri]

[1]들고 있다, 나르다
[2]휴대하다

과거	carried
과거분사	carried
현재분사	carrying

The man is carrying some flowers.
남자가 꽃다발을 나르고 있다.
I don't carry cash often.
나는 종종 현금을 휴대하지 않는다.

enter [éntər]

들어가다, 들어오다

과거	entered
과거분사	entered
현재분사	entering

The cat entered the room through the window. 고양이는 창문을 통해 방으로 들어왔다.

leave [liːv]

[1]떠나다 [2]남기다

과거	left
과거분사	left
현재분사	leaving

I will leave home for my trip.
나는 여행을 위해 집을 떠날 것이다.
I left the flowers for Mom.
나는 엄마를 위해 꽃을 남겼다.

어휘 기초 확인

Answers p. 13

A 영어는 우리말로, 우리말은 영어로 쓰기

01 carry

02 enter

03 lend

04 leave

05 빌려주다

06 떠나다, 남기다

07 들어가다, 들어오다

08 들고 있다, 나르다, 휴대하다

B 빈칸에 알맞은 말 넣어 완성하기

01 ________ a pen to him
그에게 펜을 빌려주다

02 ________ a phone
전화기를 휴대하다

03 ________ a message
메시지를 남기다

04 ________ the zoo
동물원에 들어가다

C 알맞은 말 골라 쓰기

leave	carry	enter	lend

01 What time will you ________ tomorrow? 너는 내일 언제 떠날 거니?

02 Before you ________, read the rules. 들어오기 전에 규칙을 읽어주세요.

03 I will ________ your bag for you. 나는 너를 위해 가방을 들고 있을 것이다.

04 Would you ________ me your bike? 네 자전거를 내게 빌려줄 수 있니?

smell [smel]

냄새가 나다, 냄새를 맡다

과거	smelled
과거분사	smelled
현재분사	smelling

명사 냄새, 향

The fried chicken smells delicious.

프라이드치킨에서 맛있는 냄새가 난다.

change [tʃeindʒ]

변하다, 바꾸다

과거	changed
과거분사	changed
현재분사	changing

The leaves change color in the fall.

나뭇잎들은 가을에 색을 바꾼다.

believe [bilíːv]

믿다, 여기다

과거	believed
과거분사	believed
현재분사	잘 안 씀.

I believe I can fly.

나는 내가 날 수 있다고 믿는다.

fall [fɔːl]

1 떨어지다 2 넘어지다
3 되다, ~해지다

과거	fell
과거분사	fallen
현재분사	falling

The apple fell from the tree.

사과가 나무에서 떨어졌다.

I fell on the ice. 나는 빙판에서 넘어졌다.

He fell in love with Juhee.

그는 주희와 사랑에 빠졌다.

어휘 기초 확인

Answers p. 14

A 영어는 우리말로, 우리말은 영어로 쓰기

01 change ______

02 smell ______

03 fall ______

04 believe ______

05 믿다, 여기다 ______

06 떨어지다, 넘어지다, 되다, ~해지다 ______

07 냄새가 나다, 냄새를 맡다 ______

08 변하다, 바꾸다 ______

3주 3일

B 빈칸에 알맞은 말 넣어 완성하기

01 ______ good 좋은 냄새가 나다

02 ______ him 그를 믿다

03 ______ asleep 잠들다

04 ______ my mind 내 마음을 바꾸다

C 괄호 안의 철자를 바르게 배열하여 쓰기

01 I want to ______ my sleeping habit. 나는 잠버릇을 바꾸고 싶다.
(gcaneh)

02 The roses ______ sweet. 장미는 달콤한 냄새가 난다.
(melsl)

03 He ______ down the stairs. 그는 계단에서 넘어졌다.
(flel)

04 I cannot ______ she is from Canada. 나는 그녀가 캐나다 출신이라는 것을 믿을 수 없다.
(ebieevl)

A 단어와 우리말 뜻 연결하기

01 change •

02 fall •

03 leave •

04 enter •

05 carry •

06 believe •

• a. 떨어지다, 넘어지다, 되다, ~해지다

• b. 믿다, 여기다

• c. 들고 있다, 나르다, 휴대하다

• d. 변하다, 바꾸다

• e. 떠나다, 남기다

• f. 들어가다, 들어오다

B 밑줄 친 부분에 유의하여 알맞은 말 고르기

01 나는 지나에게 내 컴퓨터를 빌려주었다.

➔ I (fell / lent) my computer to Jina.

02 나는 뭔가가 타는 냄새를 맡을 수 있었다.

➔ I could (smell / leave) something burning.

03 그녀는 비밀번호를 바꿨다.

➔ She (carried / changed) her password.

04 마스크 없이는 건물로 들어갈 수 없다.

➔ You can't (enter / believe) the building without a mask.

Answers p. 14

C 빈칸에 알맞은 철자를 넣어 문장 완성하기

01 그는 학교에서 미끄러져서 넘어졌다.

➔ He slipped and [ ][e][ ][ ] at school.

02 학생들은 책을 나르고 있다.

➔ Students are [ ][a][ ][ ][ ][i][n][g] books.

03 그 비행기는 오후 7시에 떠날 것이다.

➔ The plane will [ ][e][ ][v][ ] at 7 p.m.

04 그 남자를 믿지 마세요.

➔ Don't [b][ ][ ][ ][ ][v][ ] the man.

3주 3일

3주 2~3일 누적 테스트 영어는 우리말로, 우리말은 영어로 쓰기

01	enter		09	이기다, 얻다	
02	taste		10	찾다, 발견하다	
03	bring		11	냄새가 나다, 냄새를 맡다	
04	believe		12	밀다, 누르다	
05	lend		13	들고 있다, 나르다, 휴대하다	
06	leave		14	굽다, 굽히다, 튀기다, 튀겨지다	
07	guess		15	떨어지다, 넘어지다, 되다	
08	change		16	싸우다	

3주 4일

pass [pæs]

[1]합격하다 [2]지나가다

과거	passed
과거분사	passed
현재분사	passing

반의어 fail 실패하다, (시험에) 떨어지다

She passed the exam. 그녀는 시험에 합격했다.

Don't pass this road at night.
밤에는 이 길을 지나가지 마시오.

miss [mis]

[1]놓치다 [2]그리워하다

과거	missed
과거분사	missed
현재분사	missing

He missed the bus. 그는 버스를 놓쳤다.

I miss my family. 나는 나의 가족을 그리워한다.

save [seiv]

[1]저축하다 [2]구하다

과거	saved
과거분사	saved
현재분사	saving

I save money every month. 나는 매달 저축한다.

Let's save the earth. 지구를 구하자.

sell [sel]

팔다, 팔리다

과거	sold
과거분사	sold
현재분사	selling

반의어 buy 사다, 사주다

My aunt sells fruit and vegetables.
나의 이모는 과일과 채소를 판다.

어휘 기초 확인

Answers p. 14

A 영어는 우리말로, 우리말은 영어로 쓰기

01 miss ______

02 save ______

03 pass ______

04 sell ______

05 합격하다, 지나가다 ______

06 놓치다, 그리워하다 ______

07 저축하다, 구하다 ______

08 팔다, 팔리다 ______

B 빈칸에 알맞은 말 넣어 완성하기

01 ______ my dog
나의 개를 그리워하다

02 ______ the gym
체육관을 지나가다

03 ______ his car
그의 차를 팔다

04 ______ my pocket money
내 용돈을 저축하다

C 알맞은 말 골라 쓰기

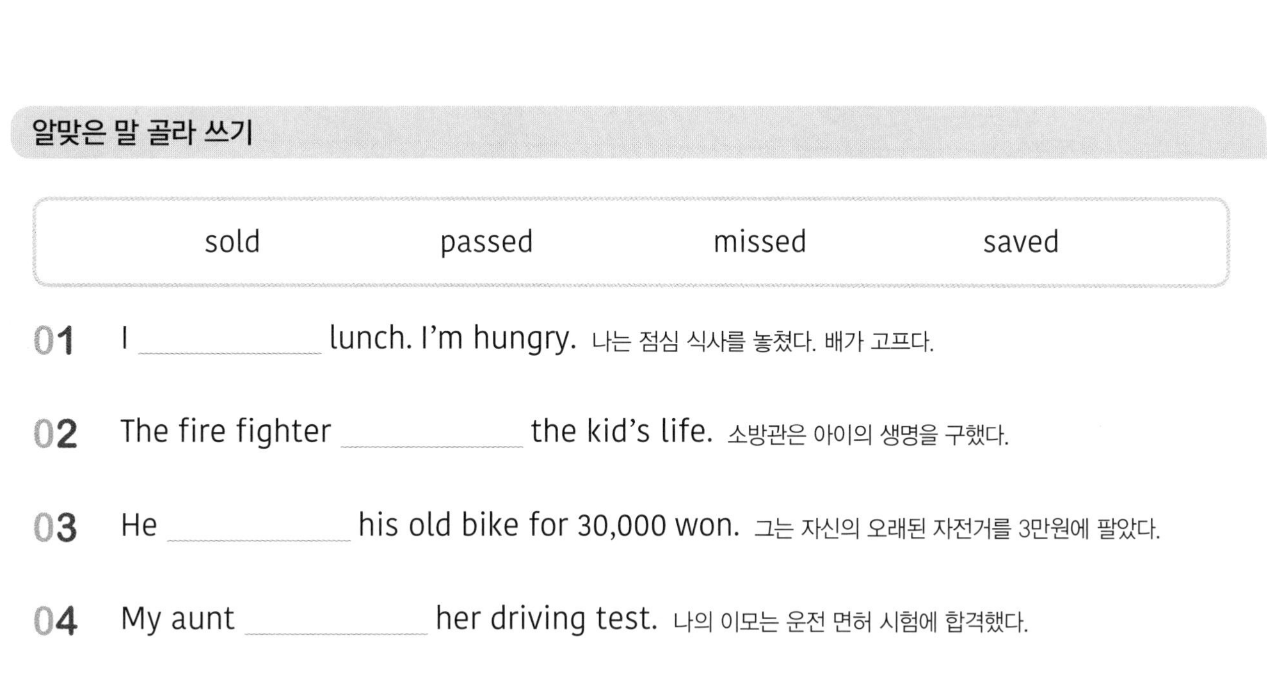

sold	passed	missed	saved

01 I ______ lunch. I'm hungry. 나는 점심 식사를 놓쳤다. 배가 고프다.

02 The fire fighter ______ the kid's life. 소방관은 아이의 생명을 구했다.

03 He ______ his old bike for 30,000 won. 그는 자신의 오래된 자전거를 3만원에 팔았다.

04 My aunt ______ her driving test. 나의 이모는 운전 면허 시험에 합격했다.

touch [tʌtʃ]
만지다, 건드리다

과거	touched
과거분사	touched
현재분사	touching

Touch the play button on the screen.
화면에서 재생 버튼을 건드리세요.

walk [wɔːk]
[1]걷다 [2]산책시키다

과거	walked
과거분사	walked
현재분사	walking

Penguins walk on the ice.
펭귄은 얼음 위에서 걷는다.
We walk the dogs. 우리는 개들을 산책시킨다.

repair [ripέər]
수리하다, 수선하다

과거	repaired
과거분사	repaired
현재분사	repairing

He is repairing the bike.
그는 자전거를 수리하고 있다.

send [send]
보내다

과거	sent
과거분사	sent
현재분사	sending

I will send her an email today.
나는 오늘 그녀에게 이메일을 보낼 것이다.

어휘 기초 확인

Answers p. 14

A 영어는 우리말로, 우리말은 영어로 쓰기

01 walk

02 send

03 repair

04 touch

05 보내다

06 걷다, 산책시키다

07 만지다, 건드리다

08 수리하다, 수선하다

B 빈칸에 알맞은 말 넣어 완성하기

01 ________ the dog 개를 산책시키다

02 ________ the machine 기계를 수리하다

03 ________ flowers 꽃을 보내다

04 ________ your nose 너의 코를 만지다

C 알맞은 말 골라 쓰기

walked	repair	send	touched

01 I will ________ a magazine to you. 나는 당신에게 잡지를 보낼 것이다.

02 He ________ my arm. 그는 내 팔을 만졌다.

03 Dad is going to ________ the roof. 아빠는 지붕을 수리할 예정이다.

04 They ________ into the room. 그들은 방으로 걸어 들어갔다.

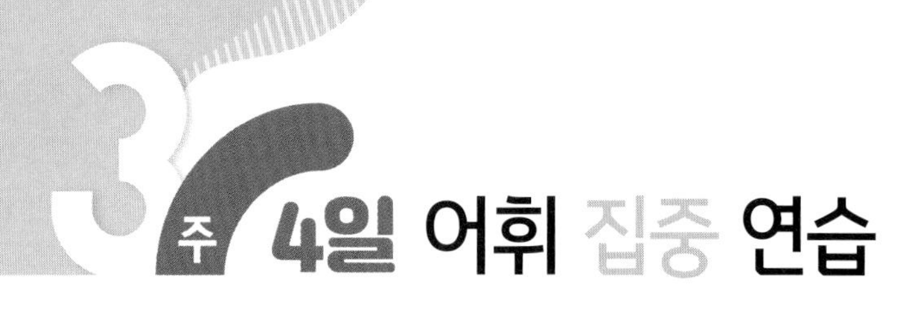

3주 4일 어휘 집중 연습

A 단어와 우리말 뜻 연결하기

01	repair	•	• a. 보내다
02	walk	•	• b. 수리하다, 수선하다
03	save	•	• c. 걷다, 산책시키다
04	miss	•	• d. 저축하다, 구하다
05	send	•	• e. 만지다, 건드리다
06	touch	•	• f. 놓치다, 그리워하다

B 밑줄 친 부분에 유의하여 알맞은 말 고르기

01 그녀는 몇몇 관광객들을 지나갔다.

➔ She (passed / touched) some visitors.

02 장난감 자동차를 파니요?

➔ Do you (repair / sell) toy cars?

03 그녀는 개들을 매일 산책시킨다.

➔ She (walks / saves) her dogs every day.

04 그를 만날 기회를 놓치지 마라.

➔ Don't (send / miss) your chance to meet him.

Answers p. 15

C 빈칸에 알맞은 철자를 넣어 문장 완성하기

01 이 방에 있는 어떤 것도 건드리지 마시오.

→ Don't [t][ ][ ][c][ ] anything in this room.

02 미나는 사진 몇 장을 가족에게 보냈다.

→ Mina [ ][e][ ][t] some pictures to her family.

03 그는 한 달에 만 원을 저축한다.

→ He [s][ ][ ][ ][s] 10,000 won a month.

04 우리는 TV를 수리할 필요가 없다.

→ We don't need to [r][ ][p][ ][ ][ ] the TV.

3주 4일

3주 3~4일 누적 테스트 영어는 우리말로, 우리말은 영어로 쓀기

01	carry		09	빌려주다	
02	leave		10	들어가다, 들어오다	
03	smell		11	팔다, 팔리다	
04	change		12	믿다, 여기다	
05	fall		13	수리하다, 수선하다	
06	pass		14	놓치다, 그리워하다	
07	save		15	만지다, 건드리다	
08	walk		16	보내다	

lose [luːz]

[1]잃어버리다 [2]지다

과거	lost
과거분사	lost
현재분사	losing

She lost her bag. 그녀는 가방을 잃어버렸다.
The team lost the match. 그 팀은 경기에서 졌다.

return [ritə́ːrn]

[1]돌아오다[가다]
[2]돌려주다

과거	returned
과거분사	returned
현재분사	returning

He will return home after 2 p.m.
그는 오후 2시 이후에 집으로 돌아올 것이다.
I returned his pen to him.
나는 그에게 그의 펜을 돌려주었다.

share [ʃɛər]

[1]함께 쓰다 [2]나누다

과거	shared
과거분사	shared
현재분사	sharing

Dogs are sharing food.
개들은 음식을 함께 먹고 있다.
I shared my chocolate with my sister.
나는 여동생과 초콜릿을 나눴다.

choose [tʃuːz]

선택하다, 고르다

과거	chose
과거분사	chosen
현재분사	choosing

I will choose the red shirt.
나는 빨간색 셔츠를 선택할 것이다.

어휘 기초 확인

Answers p. 15

A 영어는 우리말로, 우리말은 영어로 쓰기

01 return

02 share

03 choose

04 lose

05 함께 쓰다, 나누다

06 돌아오다[가다], 돌려주다

07 잃어버리다, 지다

08 선택하다, 고르다

B 빈칸에 알맞은 말 넣어 완성하기

01 ______ his bread with Jua
주아와 그의 빵을 나누다

02 ______ to France
프랑스로 돌아오다

03 ______ a gift
선물을 고르다

04 ______ the election
선거에서 지다

C 괄호 안의 철자를 바르게 배열하여 쓰기

01 ______ the books to the library. 도서관에 책을 반납해라.
(rtuenr)

02 Let's ______ the chair. 의자를 함께 씁시다.
(hrsae)

03 He ______ interest in piano. 그는 피아노에 흥미를 잃었다.
(lsot)

04 ______ the correct answer. 정답을 고르시오.
(ecohos)

show [ʃou]

보여주다, 알려 주다

과거	showed
과거분사	showed
현재분사	showing

Let me show you my pet.

내가 너희에게 나의 애완동물을 보여줄게.

throw [θrou]

던지다

과거	threw
과거분사	thrown
현재분사	throwing

The singer threw his cap to the fans.

가수는 자신의 모자를 팬들에게 던졌다.

collect [kəlékt]

모으다, 수집하다

과거	collected
과거분사	collected
현재분사	collecting

I like to collect seashells.

나는 조개껍데기를 모으는 것을 좋아한다.

shout [ʃaut]

소리치다, 큰 소리로 말하다

과거	shouted
과거분사	shouted
현재분사	shouting

명사 외침, 고함

Don't shout at me.

내게 소리치지 마.

어휘 기초 확인

Answers p. 15

A 영어는 우리말로, 우리말은 영어로 쓰기

01 collect [ ]

02 shout [ ]

03 show [ ]

04 throw [ ]

05 보여주다, 알려 주다 [ ]

06 소리치다, 큰 소리로 말하다 [ ]

07 던지다 [ ]

08 모으다, 수집하다 [ ]

B 빈칸에 알맞은 말 넣어 완성하기

01 ________ a talent 재능을 보여주다

02 ________ for help 도와달라고 소리치다

03 ________ a dice 주사위를 던지다

04 ________ information 정보를 모으다

C 알맞은 말 골라 쓓기

shouted	collect	threw	show

01 I ________ sunglasses. 나는 선글라스를 수집한다.

02 He ________ at them angrily. 그는 그들에게 화가 나서 소리쳤다.

03 Can you ________ me your ticket? 당신의 입장권을 제게 보여주시겠어요?

04 James ________ his socks into the basket. James는 양말을 바구니에 던졌다.

3주 5일 어휘 집중 연습

A 단어와 우리말 뜻 연결하기

01 collect •

02 shout •

03 return •

04 lose •

05 share •

06 choose •

• a. 소리치다, 큰 소리로 말하다

• b 잃어버리다, 지다

• c. 선택하다, 고르다

• d. 모으다, 수집하다

• e. 함께 쓰다, 나누다

• f. 돌아오다[가다], 돌려주다

B 밑줄 친 부분에 유의하여 알맞은 말 고르기

01 아이들이 내게 자신들의 그림을 보여주었다.

➔ The kids (showed / shouted) me their paintings.

02 제게 그 공을 던져주세요.

➔ (Collect / Throw) me the ball, please.

03 우리는 결승전에서 졌다.

➔ We (lost / chose) in the final.

04 그녀가 집으로 돌아왔을 때, 오후 7시였다.

➔ When she (returned / shared) home, it was 7 p.m.

Answers p. 15

C 빈칸에 알맞은 철자를 넣어 문장 완성하기

01 너는 왜 펜을 모으니?

→ Why do you [ ] o [ ] l [ ] [ ] t pens?

02 너는 큰 소리로 말할 필요가 없다. 나는 잘 들린다.

→ You don't have to [ ] h [ ] [ ] t. I can hear you.

03 나는 내 케이크를 친구들과 나눠 먹었다.

→ I [ ] h [ ] r [ ] d my cake with my friends.

04 그녀는 검은색 원피스를 선택했다.

→ She c [ ] o [ ] [ ] the black dress.

3주 4~5일 누적 테스트 영어는 우리말로, 우리말은 영어로 쓰기

01	sell		09	저축하다, 구하다	
02	pass		10	놓치다, 그리워하다	
03	repair		11	만지다, 건드리다	
04	show		12	보내다	
05	share		13	선택하다, 고르다	
06	throw		14	모으다, 수집하다	
07	lose		15	걷다, 산책시키다	
08	shout		16	돌아오다[가다], 돌려주다	

특강 | Creative Visual Review 창의·융합·코딩

공부한 어휘와 관련된 이야기를 읽으면서 뜻을 확인해 봅시다.

I broke a mirror this morning.
불운이 닥칠지도 몰라.

아침에 거울을 깼다고 무슨 불운이 생기니. 그건 미신이야. 몇 가지 미신과 그것이 유래하게 된 이야기를 읽어 볼까?

Breaking a mirror will bring seven years of bad luck.
(거울을 깨뜨리는 것은 7년 동안 불운을 가져올 것이다.)

고대 사회에서 거울은 신성한 물건이었으며, 근대까지도 신분이 높은 사람만 가질 수 있는 귀한 물건이었어요. 이런 이유로 로마 시대부터 사람들은 '거울을 깨드리면 불행해진다.'는 미신을 믿었어요. 거울을 깨뜨린 사람은 7년 동안 아프거나 불운을 당할 수 있다고 여겼지요.

A bride throws the bridal bouquet to her single girls.
(신부는 미혼 친구들에게 부케를 던진다.)

부케(bouquet)는 '작은 꽃다발'이라는 뜻으로 프랑스어에요. 부케는 결혼한 사람의 기운이 담겨 있는 상징물로 인식되어 부케를 받은 사람은 결혼 기운이 옮겨져 머지않아 결혼하게 된다는 믿음을 갖게 되었다고 해요. 신부가 친구들을 등진 채 뒤돌아서서 부케를 던지는 것은 사악한 기운을 물리치기 위해 어깨 뒤로 소금을 던진 풍습에서 유래되었어요.

I wish on a star.
(나는 별에게 소원을 빈다.)

고대 그리스인들은 하늘에서 새로운 별을 발견하게 되면 나라에 좋은 일이 생기거나 훌륭한 인물이 태어날 거라고 믿었는데, 별이 어두운 밤에 사람들을 이끄는 신성한 빛을 비추었기 때문이라고 해요. 이런 이유로 밤에 떠오르는 최초의 별을 보면서 비밀스러운 소원을 빌면 이루어진다는 미신으로 이어졌어요.

특강 | Creative Visual Review 창의·융합·코딩

A 그림에서 연상되는 단어와 뜻을 찾아 써 봅시다.

1

2

3

4

5

6

share	guess	change
laugh	carry	save

들고 있다, 나르다	웃다	함께 쓰다, 나누다
추측하다, 알아내다	저축하다, 구하다	변하다, 바꾸다

Answers p. 16

B 우리말 뜻을 참고하여 철자를 바르게 배열해 봅시다.

1 atset 맛이 ~하다, ~ 맛이 나다

2 rtwho 던지다

3 wbroro 빌리다

4 ebleeiv 믿다, 여기다

5 truenr 돌아오다[가다], 돌려주다

6 raeipr 수리하다, 수선하다

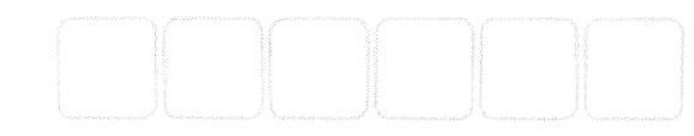

7 erten 들어가다, 들어오다

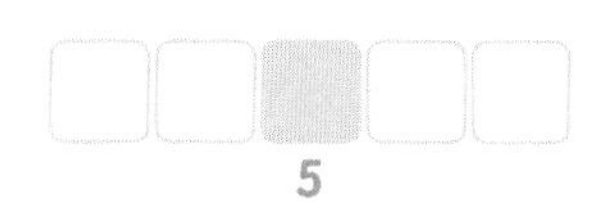

번호 순서대로 철자를 배열하여 단어를 완성하고 우리말 뜻을 써 봅시다.

?

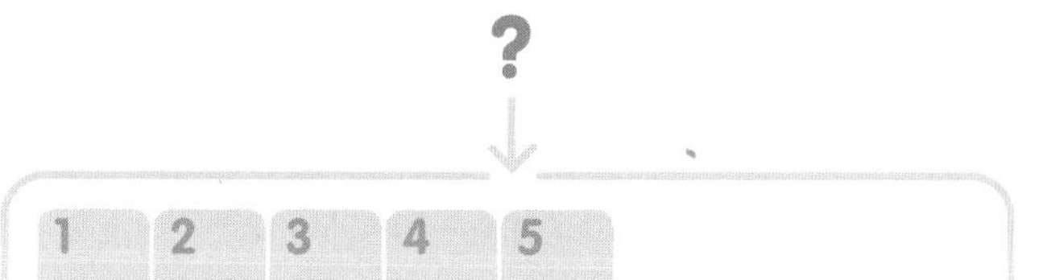

C 그림을 보고, 대화를 완성해 봅시다.

1

2

3

1 A: What will you do tonight? 너는 오늘밤에 뭐 할 거니?

B: I'll [　　　　] home with my family. 나는 가족과 함께 집에 머물려고.

2 A: Can I [　　　　] your books? 내가 네 책을 빌릴 수 있을까?

B: Sure. I'll [　　　　] you some. 물론이지. 내가 너에게 몇 권 빌려줄게.

3 A: What happened? 무슨 일이니?

B: I [　　　　] my bag again. 나는 가방을 또 잃어버렸어.

Answers p. 16

D 크로스워드 퍼즐을 완성해 봅시다.

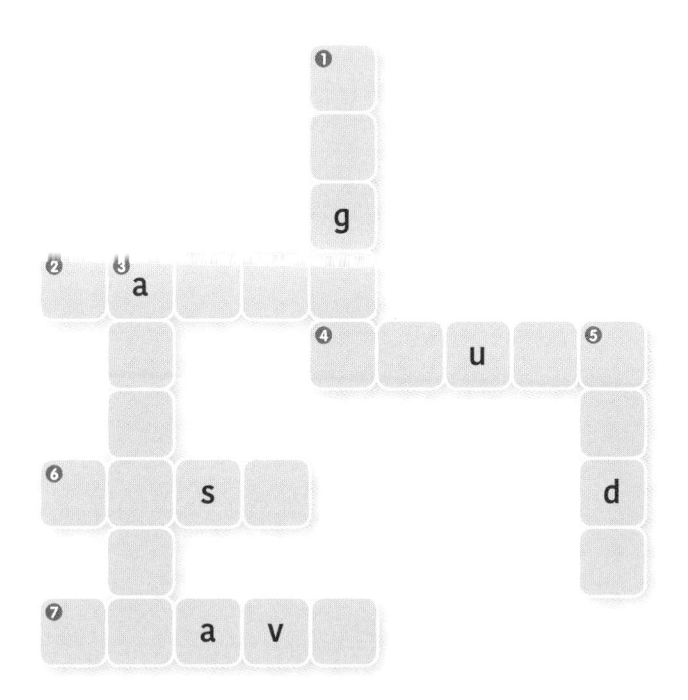

Down

1. ________ all the time 항상 싸우다
3. We'll ________ in London soon. 우리는 곧 런던에 도착할 것이다.
5. 숨다, 숨기다: ________

Across

2. He began to ________. 그는 웃기 시작했다.
4. Don't ________ the pan. It's hot. 냄비를 만지지 마라. 뜨겁다.
6. 
7. Can you ________ a message? 메시지를 남기시겠어요?

3주 특강

누구나 100점 테스트

[01-02] 그림을 보고, 우리말 뜻에 해당하는 단어를 써 봅시다.

01

도착하다 :

02

맛이 ~하다, ~ 맛이 나다 :

[03-05] 밑줄 친 단어의 뜻으로 알맞은 것을 골라 봅시다.

03

I'll <u>leave</u> home for my trip.

a. 남기다　　b. 떠나다　　c. 지나가다　　d. 돌아오다

04

I <u>shared</u> my chocolate with my sister.

a. 선택했다　　b. 모았다　　c. 나눴다　　d. 숨겼다

05

Can you <u>guess</u> what it is?

a. 추측하다　　b. 발견하다　　c. 보여주다　　d. 변하다

Answers p. 16

[06-07] 빈칸에 들어갈 알맞은 단어를 골라 봅시다.

06

He ____________ to do his homework. 그는 숙제를 해야 한다.

a. believes   b. needs   c. wishes   d. lends

07

The man is ____________ some flowers. 남자가 꽃다발을 나르고 있다.

a. smelling   b. touching   c. bringing   d. carrying

[08-10] 그림을 보고, 알맞은 단어를 골라 문장을 다시 써 봅시다.

08

The turtle (won / left) the race.

➲

09

The apple (found / fell) from the tree.

➲

10

The singer (threw / showed) his cap to the fans.

➲

4주

4주에는 무엇을 공부할까? 1

만화를 읽으며 단어의 뜻을 추측해 봅시다.

01 express ☐ 해결하다 ☐ 표현하다, 나타내다

02 expect ☐ 예상하다, 기대하다 ☐ 배달하다

03 escape ☐ 달아나다, 탈출하다 ☐ 훔치다

04 imagine ☐ 속삭이다 ☐ 상상하다

05 relax ☐ 지지하다, 부양하다 ☐ 쉬다, 긴장을 풀다

Answers p. 17

06 destroy ▢ 파괴하다 ▢ 발견하다

07 protect ▢ 이해하다 ▢ 보호하다

08 create ▢ 선택하다, 선발하다 ▢ 창조[창작]하다

09 spend ▢ 예상하다, 기대하다 ▢ (시간을) 보내다

10 explain ▢ 설명하다 ▢ 생각나게 하다, 다시 한 번 알려주다

4주 4주에는 무엇을 공부할까? ❷

❷-1 그림을 보고 연상되는 단어를 골라 봅시다.

Answers p. 17

01

☐ celebrate ☐ relax

02

☐ destroy ☐ appear

03

☐ tie ☐ let

04

☐ receive ☐ remind

05

☐ achieve ☐ continue

06

☐ escape ☐ select

2-2 그림을 보고 연상되는 단어를 찾아 써 봅시다.

Answers p. 17

01 02

03

04

05

06

steal	succeed	avoid
support	rise	remind

lie [lai]

1 누워 있다 2 거짓말하다

과거	1 lay 2 lied
과거분사	1 lain 2 lied
현재분사	lying

명사 거짓말

They are lying on the grass.
그들은 잔디에 누워 있다.
Don't lie to me! 내게 거짓말 하지 마!

solve [salv]

1 해결하다 2 (문제를) 풀다

과거	solved
과거분사	solved
현재분사	solving

Can you solve the problem?
너는 이 문제를 해결할 수 있니?
He likes to solve math problems.
그는 수학 문제 푸는 것을 좋아한다.

celebrate [séləbrèit]

축하하다

과거	celebrated
과거분사	celebrated
현재분사	celebrating

We will celebrate New Years.
우리는 새해를 축하할 것이다.

create [kriéit]

창조[창작]하다

과거	created
과거분사	created
현재분사	creating

유의어 make

The engineer created a new robot.
그 기술자는 로봇을 창조했다.

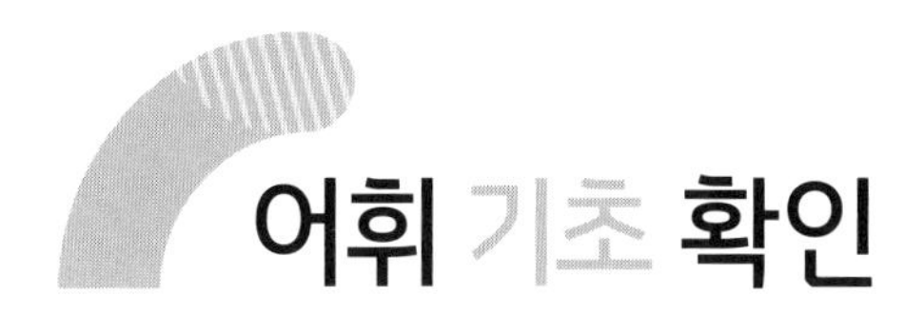

어휘 기초 확인

Answers p. 17

A 영어를 우리말로, 우리말은 영어로 쓰기

01 solve ______

02 create ______

03 celebrate ______

04 lie ______

05 축하하다 ______

06 해결하다, (문제를) 풀다 ______

07 창조[창작]하다 ______

08 누워 있다, 거짓말하다 ______

B 빈칸에 알맞은 말 넣어 완성하기

01 ______ jobs 일자리를 창출하다

02 ______ victory 승리를 축하하다

03 ______ on the bed 침대에 눕다

04 ______ the puzzle 퍼즐을 풀다

C 알맞은 말 골라 쓰기

celebrated	created	solved	lay

01 I ______ on my back. 나는 등을 대고 누웠다.

02 The chef ______ the new dish. 요리사는 새로운 요리를 개발했다.

03 They finally ______ the mystery. 그들은 마침내 그 수수께끼를 풀었다.

04 The school ______ its 100-year anniversary. 그 학교는 100주년을 기념했다.

4주 1일

discover [diskʌ́vər]

발견하다

과거	discovered
과거분사	discovered
현재분사	discovering

유의어 find out

The scientist discovered the new star.
과학자는 새로운 별을 발견했다.

steal [stiːl]

훔치다

과거	stole
과거분사	stolen
현재분사	stealing

The thief stole money from the bank.
도둑은 은행에서 돈을 훔쳤다.

relax [rilǽks]

[1]쉬다 [2]긴장을 풀다

과거	relaxed
과거분사	relaxed
현재분사	relaxing

They are relaxing in the park.
그들은 공원에서 쉬고 있다.

express [iksprés]

표현하다, 나타내다

과거	expressed
과거분사	expressed
현재분사	expressing

The gentleman expresses his thanks.
그 신사는 감사를 표현한다.

어휘 기초 확인

Answers p. 17

A 영어를 우리말로, 우리말은 영어로 쓰기

01 relax

02 discover

03 steal

04 express

05 훔치다

06 표현하다, 나타내다

07 쉬다, 긴장을 풀다

08 발견하다

B 빈칸에 알맞은 말 넣어 완성하기

01 music to ________ me
내 긴장을 풀어주는 음악

02 ________ a talent 재능을 발견하다

03 ________ his feelings
그의 감정을 표현하다

04 ________ a book 책을 훔치다

C 괄호 안의 철자를 바르게 배열하여 쓰기

01 She is going to ________ at home. 그녀는 집에서 쉴 것이다.
(lexra)

02 Try to ________ yourself more simply. 더 간단하게 자신을 소개하려고 해라.
(esrepsx)

03 Columbus ________ America in 1492. 콜럼버스는 1492년에 아메리카 대륙을 발견했다.
(eredivdsco)

04 Someone ________ my idea for an invention. 누군가 내 발명 아이디어를 훔쳤다.
(tosle)

4주 1일

4주 1일 어휘 집중 연습

A 단어와 우리말 뜻 연결하기

01 solve •

02 discover •

03 create •

04 celebrate •

05 express •

06 relax •

• a. 발견하다

• b. 축하하다

• c. 창조[창작]하다

• d. 표현하다, 나타내다

• e. 쉬다, 긴장을 풀다

• f. 해결하다, (문제를) 풀다

B 밑줄 친 부분에 유의하여 알맞은 말 고르기

01 우리는 서로의 생일을 축하한다.

➔ We (celebrate / create) each other's birthdays.

02 때로는 시간이 문제를 해결할 수 있다.

➔ Sometimes time can (solve / lie) the problems.

03 우리는 공룡에 관한 사실을 발견했다.

➔ We (stole / discovered) the new facts about dinosaurs.

04 그 화가는 기쁨을 표현하기 위해 노란색을 사용했다.

➔ The painter used yellow to (express / relax) happiness.

Answers p. 17

C 빈칸에 알맞은 철자를 넣어 문장 완성하기

01 그들은 바닥에 누워 있다.

➜ They are l _ _ n g on the floor.

02 그 남자는 빵 한 덩이를 훔쳤다.

➜ The man s _ _ _ _ a loaf of bread.

03 심호흡은 네가 긴장을 푸는 데 도움이 된다.

➜ Deep breathing will help you _ _ _ _ x.

04 작가는 새로운 캐릭터를 창조했다.

➜ The author c _ _ a _ _ d the new character.

4주 1일

4주 1일 누적 테스트 영어는 우리말로, 우리말은 영어로 쓰기

01	create		09	누워 있다, 거짓말하다	
02	express		10	훔치다	
03	relax		11	창조[창작]하다	
04	solve		12	해결하다, (문제를) 풀다	
05	steal		13	축하하다	
06	discover		14	쉬다, 긴장을 풀다	
07	lie		15	발견하다	
08	celebrate		16	표현하다, 나타내다	

explain [ikspléin]

설명하다

과거	explained
과거분사	explained
현재분사	explaining

He explained how to work the machine.
그는 그 기계가 작동하는 방법을 설명했다.

spend [spend]

(돈을) 쓰다,
(시간을) 보내다

과거	spent
과거분사	spent
현재분사	spending

반의어 save 모으다, 저축하다

I spent time with my family.
나는 가족과 함께 시간을 보냈다.

discuss [diskʌ́s]

상의하다, 토론하다

과거	discussed
과거분사	discussed
현재분사	discussing

We are discussing our plans.
우리는 우리의 계획을 상의하고 있다.

pay [pei]

지불하다, 내다

과거	paid
과거분사	paid
현재분사	paying

I will pay by cash.
나는 현금으로 지불할 것이다.

어휘 기초 확인

Answers p. 18

A 영어를 우리말로, 우리말은 영어로 쓰기

01 discuss

02 explain

03 pay

04 spend

05 지불하다, 내다

06 상의하다, 토론하다

07 (돈을) 쓰다, (시간을) 보내다

08 설명하다

B 빈칸에 알맞은 말 넣어 완성하기

01 ____________ money 돈을 쓰다

02 ____________ it one more time
그것을 한 번 더 설명하다

03 ____________ for the tickets
표 값을 지불하다

04 ____________ literature
문학을 토론하다

2일

C 알맞은 말 골라 쓰기

discuss	explains	spends	pay

01 She ____________ how to use the oven. 그녀는 오븐을 사용하는 방법을 설명한다.

02 He ____________ a lot of money on food. 그는 음식에 많은 돈을 쓴다.

03 I want to ____________ my work with you. 나는 내 일을 너와 의논하고 싶다.

04 I usually ____________ by credit card. 나는 보통 신용카드로 지불한다.

continue [kəntínjuː]

계속하다, 계속되다

과거	continued
과거분사	continued
현재분사	continuing

The hot weather will continue for a few days. 더운 날씨는 며칠간 계속될 것이다.

succeed [səksíːd]

성공하다

과거	succeeded
과거분사	succeeded
현재분사	succeeding

반의어 fail 실패하다

He succeeded in business.
그는 사업에 성공했다.

let [let]

(~하게) 놓아두다,
(~하도록) 허락하다

과거	let
과거분사	let
현재분사	letting

She let the balloon go.
그녀는 풍선을 가게 놓았다.

tie [tai]

묶다, 매다

과거	tied
과거분사	tied
현재분사	tying

We tied his hands with rope.
우리는 그의 손을 밧줄로 묶었다.

어휘 기초 확인

Answers p. 18

A 영어를 우리말로, 우리말은 영어로 쓰기

01 succeed

02 tie

03 continue

04 let

05 (~하게) 놓아두다, (~하도록) 허락하다

06 계속하다, 계속되다

07 성공하다

08 묶다, 매다

B 빈칸에 알맞은 말 넣어 완성하기

01 ________ in losing weight
체중 감량에 성공하다

02 ________ my hair 내 머리를 묶다

03 ________ me go out
내가 나가게 허락하다

04 ________ to work 일을 계속하다

2일

C 알맞은 말 골라 쓰기

continue	tied	succeeded	let

01 He ________ as a scientist. 그는 과학자로 성공했다.

02 I ________ the books with ribbon. 나는 책들을 리본으로 맸다.

03 The good weather seems to ________. 좋은 날씨가 계속될 것 같다.

04 Please ________ me know your email address. 당신의 이메일 주소를 알려 주세요.

4주 2일 어휘 집중 연습

A 단어와 우리말 뜻 연결하기

01 pay •　　　• a. 성공하다

02 tie •　　　• b. 설명하다

03 succeed •　　　• c. 지불하다, 내다

04 continue •　　　• d. 계속하다, 계속되다

05 discuss •　　　• e. 상의하다, 토론하다

06 explain •　　　• f. 묶다, 매다

B 밑줄 친 부분에 유의하여 알맞은 말 고르기

01 그가 사탕을 먹게 해주세요.

➔ Please (let / continue) him eat candy.

02 나는 너와 상의할 것이 있다.

➔ I have something to (discuss / pay) with you.

03 우리는 성공하기 위해서 긍정적으로 생각해야 한다.

➔ We should think positively to (succeed / spend).

04 연설자는 그것에 관해 말하는 것을 계속한다.

➔ The speaker (explains / continues) to talk about it.

Answers p. 18

C 빈칸에 알맞은 철자를 넣어 문장 완성하기

01 그녀는 리본을 매우 잘 맸다.

➔ She t _ _ d the ribbon very well.

02 나는 그에게 그것을 설명하려고 했다.

➔ I tried to e _ _ _ _ i n it to him.

03 선생님은 우리의 간식 값을 지불하셨다.

➔ The teacher _ _ _ d for our snacks.

04 나는 너와 함께 더 많은 시간을 보내고 싶다.

➔ I want to s _ _ _ _ more time with you.

4주 1~2일 누적 테스트 영어는 우리말로, 우리말은 영어로 쓰기

01	discover		09	창조[창작]하다	
02	explain		10	쉬다, 긴장을 풀다	
03	continue		11	상의하다, 토론하다	
04	spend		12	지불하다, 내다	
05	solve		13	누워 있다, 거짓말하다	
06	steal		14	성공하다	
07	tie		15	축하하다	
08	let		16	표현하다, 나타내다	

expect [ikspékt]

예상하다, 기대하다

과거	expected
과거분사	expected
현재분사	expecting

The surfer expects big waves.

서퍼는 큰 파도를 기대한다.

accept [əksépt]

받아들이다, 인정하다

과거	accepted
과거분사	accepted
현재분사	accepting

I accepted the prize.

나는 상을 받아들였다.

deliver [dilívər]

배달하다

과거	delivered
과거분사	delivered
현재분사	delivering

명사 delivery 배달

We will deliver the pizza in 15 minutes.

우리는 피자를 15분 안에 배달할 것이다.

improve [imprú:v]

나아지다, 향상시키다

과거	improved
과거분사	improved
현재분사	improving

My English improved a lot.

내 영어는 많이 향상 되었다.

어휘 기초 확인

Answers p. 18

A 영어를 우리말로, 우리말은 영어로 쓰기

01 improve ________

02 accept ________

03 deliver ________

04 expect ________

05 배달하다 ________

06 받아들이다, 인정하다 ________

07 예상하다, 기대하다 ________

08 나아지다, 향상시키다 ________

B 빈칸에 알맞은 말 넣어 완성하기

01 ________ my skills
내 기술을 향상시키다

02 ________ his offer
그의 제안을 받아들이다

03 ________ food 음식을 배달하다

04 ________ to win 이기기를 기대하다

C 괄호 안의 철자를 바르게 배열하여 쓰기

01 I want to ________ the job. 나는 그 일을 받아들이고 싶다.
(captce)

02 Exercising can ________ our health. 운동하는 것은 우리의 건강을 향상시킨다.
(rmoviep)

03 I ________ a call from her. 나는 그녀로부터 전화가 올 것을 기대한다.
(xpctee)

04 The package will be ________ in two days. 소포는 이틀 안에 배달될 것이다.
(ddreelvie)

achieve [ətʃíːv]

성취하다, 이루다

과거	achieved
과거분사	achieved
현재분사	achieving

They achieved their goal.
그들은 목표를 성취했다.

escape [iskéip]

달아나다, 탈출하다

과거	escaped
과거분사	escaped
현재분사	escaping

The elephant escaped from the zoo.
코끼리는 동물원에서 탈출했다.

imagine [imǽdʒin]

상상하다

과거	imagined
과거분사	imagined
현재분사	imagining

I imagined myself with short hair.
나는 내 머리가 짧은 것을 상상했다.

search [səːrtʃ]

찾다, 검색하다

과거	searched
과거분사	searched
현재분사	searching

I search the information online.
나는 온라인에서 정보를 찾는다.

어휘 기초 확인

Answers p. 19

A 영어를 우리말로, 우리말은 영어로 쓰기

01 search

02 imagine

03 achieve

04 escape

05 성취하다, 이루다

06 달아나다, 탈출하다

07 찾다, 검색하다

08 상상하다

B 빈칸에 알맞은 말 넣어 완성하기

01 ______ for treasure 보물을 찾다

02 ______ success 성공을 거두다

03 ______ a future 미래를 상상하다

04 ______ to Italy 이탈리아로 탈출하다

C 괄호 안의 철자를 바르게 배열하여 쓰기

01 The man ______ from prison. 그 남자는 감옥에서 탈출했다.
(edcespa)

02 I can't ______ life without books. 나는 책이 없는 삶을 상상할 수 없다.
(nemiagi)

03 She is ______ for her jacket. 그녀는 재킷을 찾고 있다.
(rcgshinea)

04 He ______ good grades in school. 그는 학교에서 좋은 성적을 이루었다.
(hiadcvee)

3일 어휘 집중 연습

A 단어와 우리말 뜻 연결하기

01	improve	•	• a. 상상하다
02	imagine	•	• b. 성취하다, 이루다
03	escape	•	• c. 달아나다, 탈출하다
04	accept	•	• d. 받아들이다, 인정하다
05	achieve	•	• e. 나아지다, 향상시키다
06	expect	•	• f. 예상하다, 기대하다

B 밑줄 친 부분에 유의하여 알맞은 말 고르기

01 그녀는 초대를 받아들일 것이다.

➔ She will (accept / expect) the invitation.

02 네 목표는 성취하기 어렵지 않다.

➔ Your goal is not hard to (achieve / imagine).

03 그는 위험으로부터 벗어나기 위해 노력했다.

➔ He tried to (improve / escape) from danger.

04 그들은 열쇠를 찾기 위해 집을 수색한다.

➔ They (deliver / search) the house to find the key.

Answers p. 19

C 빈칸에 알맞은 철자를 넣어 문장 완성하기

01 나는 그에게서 좋은 소식을 기대한다.

➔ I e _ _ _ _ t good news from him.

02 그 소년은 매일 우유를 배달한다.

➔ The boy d _ _ _ _ _ _ s milk daily.

03 독서는 네 작문 실력을 향상시킬 수 있다.

➔ Reading can _ _ p _ _ _ e your writing skills.

04 너는 색깔이 없는 세상을 상상할 수 있니?

➔ Can you i _ _ g _ _ e the world without colors?

4주 3일

4주 2~3일 누적 테스트 영어는 우리말로, 우리말은 영어로 쓰기

01	deliver		09	성취하다, 이루다	
02	escape		10	설명하다	
03	accept		11	지불하다, 내다	
04	tie		12	예상하다, 기대하다	
05	imagine		13	나아지다, 향상시키다	
06	continue		14	(돈을) 쓰다, (시간을) 보내다	
07	search		15	성공하다	
08	discuss		16	(~하게) 놓아두다, (~하도록) 허락하다	

appear [əpíər]

나타나다

과거	appeared
과거분사	appeared
현재분사	appearing

반의어 disappear 사라지다

Genie appears from the magic lamp.
지니는 요술 램프에서 나타난다.

destroy [distrɔ́i]

파괴하다

과거	destroyed
과거분사	destroyed
현재분사	destroying

Wars destroyed everything.
전쟁은 모든 것을 파괴했다.

protect [prətékt]

보호하다

과거	protected
과거분사	protected
현재분사	protecting

Masks protect us from viruses.
마스크는 우리를 바이러스로부터 보호한다.

whisper [hwíspər]

속삭이다

과거	whispered
과거분사	whispered
현재분사	whispering

명사 속삭임

The boy whispers in my ear.
그 소년은 내 귀에 속삭인다.

어휘 기초 확인

Answers p. 19

A 영어를 우리말로, 우리말은 영어로 쓰기

01 whisper ______

02 protect ______

03 appear ______

04 destroy ______

05 보호하다 ______

06 나타나다 ______

07 파괴하다 ______

08 속삭이다 ______

B 빈칸에 알맞은 말 넣어 완성하기

01 don't have to ______
속삭일 필요가 없다

02 ______ my skin 내 피부를 보호하다

03 ______ on TV TV에 나오다

04 ______ nature 자연을 파괴하다

C 알맞은 말 골라 쓰기

appear	destroyed	protect	whispered

01 He ______ the news to me. 그는 내게 소식을 속삭였다.

02 The sun will ______ soon. 해가 곧 나타날 것이다.

03 The bear ______ the beehive. 곰은 벌집을 파괴했다.

04 We need to ______ the environment. 우리는 환경을 보호해야 한다.

understand

[ʌ̀ndərstǽnd]

이해하다

과거	understood
과거분사	understood
현재분사	understanding

This sign is easy to understand.

그 사인은 이해하기 쉽다.

forgive [fərgív]

용서하다

과거	forgave
과거분사	forgiven
현재분사	forgiving

I will forgive you.

나는 너를 용서할 것이다.

support [səpɔ́ːrt]

1 지지하다 2 부양하다

과거	supported
과거분사	supported
현재분사	supporting

The ants support each other.

개미들은 서로를 지지한다.

wonder [wʌ́ndər]

궁금하다, 궁금해하다

과거	wondered
과거분사	wondered
현재분사	wondering

I wonder how they built the tower.

나는 그들이 그 탑을 어떻게 지었는지 궁금하다.

어휘 기초 확인

Answers p. 19

A 영어를 우리말로, 우리말은 영어로 쓰기

01 forgive

02 wonder

03 support

04 understand

05 궁금하다, 궁금해하다

06 용서하다

07 이해하다

08 지지하다, 부양하다

B 빈칸에 알맞은 말 넣어 완성하기

01 make me ______
나를 궁금하게 하다

02 ______ them 그들을 용서하다

03 ______ his family
그의 가족을 부양하다

04 ______ art 예술을 이해하다

C 알맞은 말 골라 쓰기

forgive	support	understand	wonder

01 I ______ what it tastes like. 나는 이것이 무슨 맛인지 궁금하다.

02 Parents ______ their children. 부모들은 자신의 아이들을 지지한다.

03 Can you ______ what I mean? 너는 내가 의미하는 것을 이해할 수 있니?

04 We can ______ his mistake. 우리는 그의 실수를 용서할 수 있다.

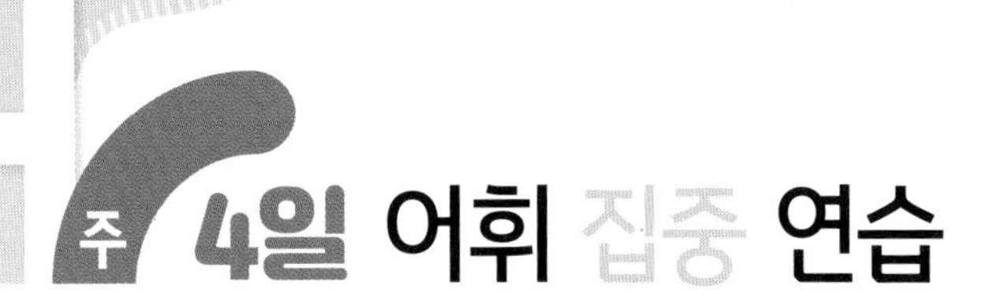

4주 4일 어휘 집중 연습

A 단어와 우리말 뜻 연결하기

01	wonder •	• a. 용서하다
02	forgive •	• b. 이해하다
03	appear •	• c. 나타나다
04	destroy •	• d. 속삭이다
05	whisper •	• e. 파괴하다
06	understand •	• f. 궁금하다, 궁금해하다

B 밑줄 친 부분에 유의하여 알맞은 말 고르기

01 나는 그 단어의 의미를 이해하지 못한다.

➔ I don't (understand / destroy) the meaning of the word.

02 내 고양이는 어디에나 나타난다.

➔ My cat (protects / appears) everywhere.

03 우리는 도서관에서 속삭여야 한다.

➔ We have to (support / whisper) in the library.

04 나는 왜 그가 학교에 늦었는지 궁금했다.

➔ I (wondered / forgave) why he was late for school.

Answers p. 20

C 빈칸에 알맞은 철자를 넣어 문장 완성하기

01 나는 나 자신을 용서하려고 노력했다.

→ I tried to [ ][ ][r][g][ ][ ][e] myself.

02 네 나쁜 습관은 네 인생을 망칠 것이다.

→ Your bad habits will [d][ ][ ][t][r][ ][ ] your life.

03 선글라스는 태양으로부터 네 눈을 보호한다.

→ Sunglasses [p][ ][ ][t][e][ ][ ] your eyes from the sun.

04 그녀는 부양해야 할 아이가 둘 있다.

→ She has two children to [s][ ][ ][p][ ][ ][ ].

4주 4일

4주 3~4일 누적 테스트 영어는 우리말로, 우리말은 영어로 쓰기

01	expect		09	이해하다	
02	accept		10	배달하다	
03	support		11	용서하다	
04	search		12	상상하다	
05	improve		13	보호하다	
06	achieve		14	나타나다	
07	escape		15	파괴하다	
08	wonder		16	속삭이다	

avoid [əvɔ́id]

피하다

과거	avoided
과거분사	avoided
현재분사	avoiding

He avoided me all day.
그는 나를 하루 종일 피했다.

increase [inkríːs]

증가하다, 인상되다

과거	increased
과거분사	increased
현재분사	increasing

반의어 decrease 줄다, 줄이다

Food prices increased by 5%.
음식 가격이 5퍼센트가 올랐다.

select [silékt]

선택하다, 선발하다

과거	selected
과거분사	selected
현재분사	selecting

유의어 choose, pick

Select the character you like.
네가 좋아하는 캐릭터를 선택하라.

remind [rimáind]

생각나게 하다,
다시 한 번 알려주다

과거	reminded
과거분사	reminded
현재분사	reminding

It reminds me of my childhood.
이것은 내게 내 어린 시절을 생각나게 한다.

어휘 기초 확인

Answers p. 20

A 영어를 우리말로, 우리말은 영어로 쓰기

01 select

02 increase

03 avoid

04 remind

05 증가하다, 인상되다

06 선택하다, 선발하다

07 생각나게 하다, 다시 한 번 알려주다

08 피하다

B 빈칸에 알맞은 말 넣어 완성하기

01 __________ a photo 사진을 선택하다

02 __________ his eyes 그의 눈을 피하다

03 __________ me 내게 다시 한 번 알려주다

04 __________ taxes 세금을 올리다

C 괄호 안의 철자를 바르게 배열하여 쓰기

01 I want to __________ talking to him. 나는 그와 말하는 것을 피하고 싶다.
(dovia)

02 The smell __________ me of my mother. 이 냄새는 내게 엄마를 떠올리게 한다.
(dnsmire)

03 You can __________ one of the books and read. 너는 책 중 한 권을 선택하고 읽어도 된다.
(tcelse)

04 They did not __________ the price of flour. 그들은 밀가루 가격을 올리지 않았다.
(raeiencs)

rise [raiz]

올라가다, 일어나다

과거	rose
과거분사	risen
현재분사	rising

The sun rises in the east.
태양은 동쪽에서 뜬다.

receive [risí:v]

받다, 받아들이다

과거	received
과거분사	received
현재분사	receiving

I received a gift from Mom.
나는 엄마에게 선물을 받았다.

mind [maind]

언짢아하다, 신경 쓰다

과거	minded
과거분사	minded
현재분사	minding

명사 마음, 정신

Do you mind if I open the window?
제가 창문을 열어도 될까요?

produce [prədjú:s]

생산하다

과거	produced
과거분사	produced
현재분사	producing

명사 product 제품

The factory produces cars.
공장은 자동차를 생산한다.

어휘 기초 확인

Answers p. 20

A 영어를 우리말로, 우리말은 영어로 쓰기

01 rise

02 receive

03 mind

04 produce

05 생산하다

06 받다, 받아들이다

07 올라가다, 일어나다

08 언짢아하다, 신경 쓰다

B 빈칸에 알맞은 말 넣어 완성하기

01 ________ from the chair
의자에서 일어나다

02 ________ an award 상을 받다

03 ________ using my pen
내 펜을 쓰는 것을 싫어하다

04 ________ goods 상품을 생산하다

5일

C 알맞은 말 골라 쓰기

produce mind receive rise

01 The elevator began to ________. 승강기는 올라가기 시작했다.

02 We expect to ________ advice from him. 우리는 그로부터 조언을 받기를 기대한다.

03 I don't ________ eating alone. 나는 혼자 먹는 것을 신경 쓰지 않는다.

04 The director will ________ a new film. 그 감독은 새로운 영화를 만들 것이다.

4주 5일 어휘 집중 연습

A 단어와 우리말 뜻 연결하기

01 increase •

02 avoid •

03 select •

04 produce •

05 receive •

06 rise •

• a. 받다, 받아들이다

• b. 증가하다, 인상되다

• c. 선택하다, 선발하다

• d. 올라가다, 일어나다

• e. 피하다

• f. 생산하다

B 밑줄 친 부분에 유의하여 알맞은 말 고르기

01 그 소들은 우유를 생산하고 있다.

➔ The cows are (rising / producing) milk.

02 너는 그에게 편지를 받은 것이다.

➔ You will (receive / mind) the letter from him.

03 우리는 그를 우리 그룹의 대표로 선택했다.

➔ We (selected / avoided) him as a leader of our group.

04 나는 회의에 관해 그에게 다시 한 번 알려주기 위해 전화했다.

➔ I called him to (increase / remind) him about the meeting.

Answers p. 20

C 빈칸에 알맞은 철자를 넣어 문장 완성하기

01 우리는 교통체증을 피하기 위해 일찍 나왔다.

➔ We came out early to a□□□□ the traffic jam.

02 금값이 올랐다.

➔ The price of gold has r□□□n.

03 그는 어려운 일을 하는 것을 꺼리지 않는다.

➔ He doesn't m□□□ doing hard things.

04 범죄율은 증가해왔다.

➔ The crime rate has in□□□□□ed.

4주 5일

4주 4~5일 누적 테스트 영어는 우리말로, 우리말은 영어로 쓰기

01	increase		09	생산하다	
02	remind		10	이해하다	
03	mind		11	선택하다, 선발하다	
04	protect		12	궁금하다, 궁금해하다	
05	receive		13	파괴하다	
06	forgive		14	속삭이다	
07	rise		15	피하다	
08	appear		16	지지하다, 부양하다	

특강 | Creative Visual Review 창의·융합·코딩

공부한 어휘와 관련된 이야기를 읽으면서 뜻을 확인해 봅시다.

하이든의 머리가
도난당한 적이 있대.
왜 머리를 훔쳤을까?

글쎄. 역사 속
인물들과 관련된 이야기를
살펴 보자.

잃어버린 하이든의 머리

Hyden's head was stolen for 145 years.

(하이든의 머리는 145년 동안 도난당했어요.)

오스트리아 작곡가 프란츠 요제프 하이든(1732~1809)은 세상을 떠난 후 공동묘지에 묻혔어요. 이후 그의 가문에서 하이든의 시신을 가문 묘지에 묻기로 결정하고 무덤을 발굴했어요. 현장에 있던 사람들은 머리가 사라진 하이든의 시체를 보고 깜짝 놀랐죠. 범인들은 그의 천재적인 머리를 연구하고 싶어서 이런 일을 저질렀다고 해요. 하이든의 머리는 무려 145년이 지나서야 되찾을 수 있었어요.

가장 짧은 편지

Victor Hugo wondered his book is popular.
(빅토르 위고는 자신의 책이 인기 있는지 궁금했어요.)

프랑스 작가 빅토르 위고(1802~1885)는 '레 미제라블' 출간 직후 책의 성공 여부를 알고 싶어서 출판사에 다음과 같은 내용을 담은 편지를 보냈다고 해요.

?

그리고 그는 아주 만족스러운 답을 받았답니다.

!

신대륙 발견

Columbus discovered the new world.
(콜럼버스는 신대륙을 발견했어요.)

1492년에 콜럼버스는 대서양을 지나 새로운 땅에 도착했어요. 그는 자신이 발견한 땅이 인도라고 믿고 그곳의 원주민들을 인디언이라고 불렀어요. 알고 보니 그곳은 아메리카 대륙이었답니다.

4주 특강

특강 | Creative Visual Review 창의·융합·코딩

A 그림에서 연상되는 단어와 뜻을 찾아 써 봅시다.

1

2

3

4

5

6

forgive	escape	imagine
increase	celebrate	whisper

용서하다	증가하다, 인상되다	달아나다, 탈출하다
상상하다	속삭이다	축하하다

Answers p. 21

B 우리말 뜻을 참고하여 철자를 바르게 배열해 봅시다.

1 hsarec 찾다, 검색하다

2 oencunti 계속하다, 계속되다

3 pehiwsr 속삭이다

4 iet 묶다, 매다

5 eetpxc 예상하다, 기대하다

6 eledivr 배달하다

7 otectpr 보호하다

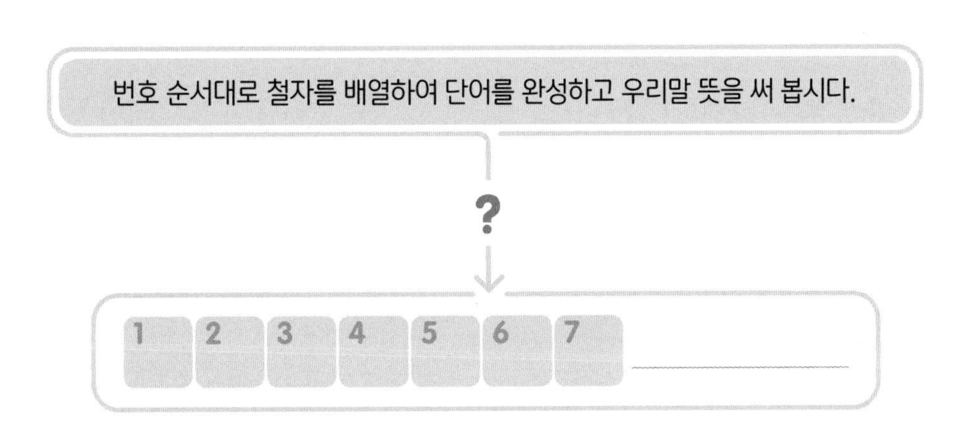

번호 순서대로 철자를 배열하여 단어를 완성하고 우리말 뜻을 써 봅시다.
?
1 2 3 4 5 6 7

특강

C 그림을 보고, 대화를 완성해 봅시다.

1

2

3

1 A: Why do you ________ this robot?

너는 왜 이 로봇을 생산하니?

B: It can ________ our life.

그것은 우리 생활을 향상 시킬 수 있어.

2 A: Let's ________ down and relax.

우리 누워서 쉬자.

B: Okay, that's a great idea.

그래, 그거 좋은 생각이야.

3 A: I ________ why the Leaning Tower of Pisa is not straight.

나는 피사의 사탑이 왜 똑바르지 않은지 궁금해.

B: Let's ________ on the Internet.

인터넷으로 검색하자.

Answers p. 21

D 크로스워드 퍼즐을 완성해 봅시다.

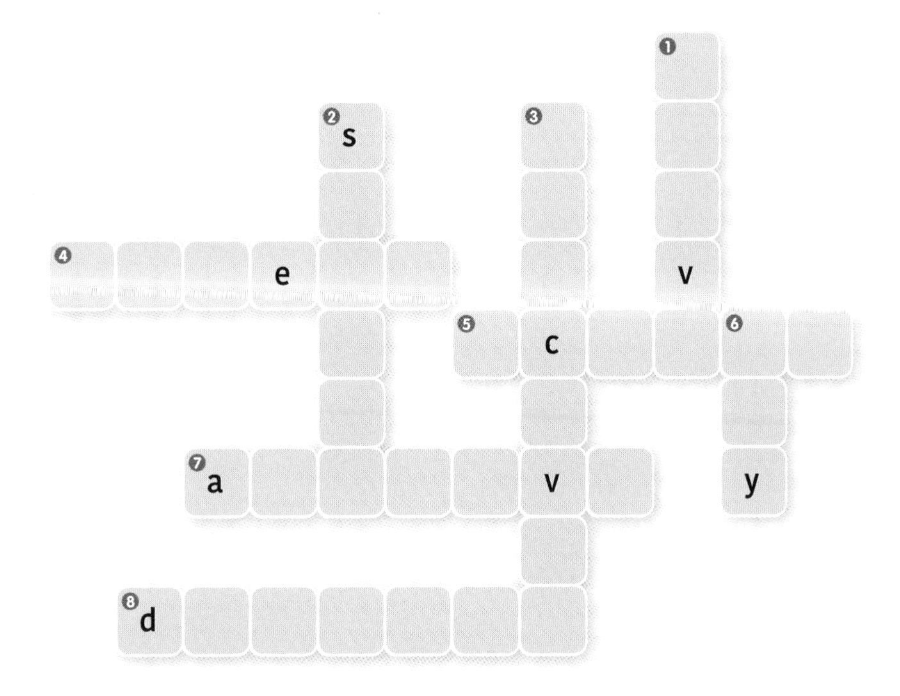

Down

❶ ________ the question 문제를 풀다

❷ ________ for my passport 내 여권을 찾다

❸ 발견하다: ________

❻ How much do I ________ for it? 이것에 얼마를 지불해야 하나요?

Across

❹ disappear ↔ ________

❺ 받아들이다, 인정하다: ________

❼ ________ a lot in a short time 짧은 시간에 많이 이루다

❽ We don't ________ on Sundays. 우리는 일요일마다 배달하지 않는다.

누구나 100점 테스트

[01-02] 그림을 보고, 우리말 뜻에 해당하는 단어를 써 봅시다.

01

발견하다 :

02

선택하다, 선발하다 :

[03-05] 밑줄 친 단어의 의미로 알맞은 것을 골라 봅시다.

03

He <u>succeeded</u> as a scientist.

a. 성공했다　　b. 계속했다　　c. 예상했다　　d. 상상했다

04

The sign is easy to <u>understand</u>.

a. 용서하다　　b. 피하다　　c. 생산하다　　d. 이해하다

05

Sometimes time can <u>solve</u> the problems.

a. 쉬다, 긴장을 풀다　　b. 해결하다　　c. 파괴하다　　d. 훔치다

○ Answers p. 21

[06-07] 우리말과 같은 뜻이 되도록 빈칸에 들어갈 알맞은 단어를 골라 봅시다.

06 Sunglasses ____________ your eyes from the sun. 선글라스는 태양으로부터 네 눈을 보호한다.

a. protect b. appear c. destroy d. steal

07 He doesn't ____________ doing hard things. 그는 어려운 일을 하는 것을 신경 쓰지 않는다.

a. support b. mind c. spend d. discuss

[08-10] 우리말 뜻에 맞게 괄호에서 알맞은 단어를 골라 문장을 다시 써 봅시다.

08 They are (relaxing / discussing) in the park.

➲

09 We (protected / tied) his hands with rope.

➲

10 The sun (improves / rises) in the east.

➲

4주

Index

Index

천재교육

정답

중학★바탕 학습

어휘 1 동사편

시작은

하루 영어

중학 어휘
1

시작은 하루 영어

정답

정답

1주

1주에는 무엇을 공부할까? ❶ pp. 6 ~ 7

01 가지고 가다
02 자라다
03 듣다
04 받다, 얻다
05 시작하다
06 잡다
07 전화하다
08 함께하다
09 가르치다, 가르쳐주다

1주에는 무엇을 공부할까? ❷ pp. 8 ~ 9

❷-1 01 answer
02 become
03 get
04 see
05 write
06 teach

❷-2 01 close
02 take
03 catch
04 clean
05 speak
06 call

1일

어휘 기초 확인 p. 11

A 01 대답하다
02 오다
03 묻다, 부탁하다
04 돕다, 도와주다, 도움이 되다
05 answer
06 ask
07 help
08 come

B 01 answer
02 come
03 ask
04 help

C 01 come
02 asked
03 help
04 answer

어휘 기초 확인 p. 13

A 01 듣다
02 하다
03 놀다, 하다, 연주하다
04 보다, 찾다, ~하게 보이다
05 look
06 listen
07 do
08 play

B 01 play
02 listen
03 do
04 look

C 01 look
02 play
03 listen
04 do

1일 어휘 집중 연습 pp. 14 ~ 15

A 01 c
02 f
03 e
04 a
05 b
06 d

B 01 come
02 asked
03 doing
04 look

C 01 play
02 listen
03 help
04 answer

누적 테스트

01 돕다, 도와주다, 도움이 되다
02 하다
03 묻다, 부탁하다
04 오다
05 대답하다
06 보다, 찾다, ~하게 보이다
07 듣다
08 놀다, 하다, 연주하다
09 play
10 listen
11 help
12 come
13 ask
14 answer
15 look
16 do

어휘 기초 확인 p. 17

A
01 재배하다, 크다, 자라다
02 따라가다[오다], 따르다
03 ~이 되다
04 가지고 가다, 데리고 가다, 잡다, 시간이 걸리다
05 take
06 become
07 grow
08 follow

B
01 take
02 become
03 grow
04 follow

C
01 becomes
02 followed
03 take
04 grew

어휘 기초 확인 p. 19

A
01 굽다, 구워지다
02 행동하다, 연기하다
03 연습하다
04 좋아하다, 원하다
05 like
06 practice
07 act
08 bake

B
01 bake
02 practice
03 act
04 like

C
01 like
02 act
03 practice
04 bake

2일 어휘 집중 연습 pp. 20 ~ 21

A
01 c
02 f
03 b
04 e
05 a
06 d

B
01 took
02 follow
03 become
04 like

C
01 acted
02 practice
03 grow
04 Bake

누적 테스트

01 대답하다
02 돕다, 도와주다, 도움이 되다
03 묻다, 부탁하다
04 듣다
05 따라가다[오다], 따르다
06 ~이 되다
07 재배하다, 크다, 자라다
08 가지고 가다, 데리고 가다, 잡다, 시간이 걸리다
09 act
10 look
11 do
12 come
13 bake
14 like
15 practice
16 play

어휘 기초 확인 p. 23

A
01 받다, 얻다, 가져오다, 도착하다
02 즐기다, 즐거워하다
03 읽다
04 쓰다
05 read
06 write
07 get
08 enjoy

B
01 write
02 get
03 read
04 enjoy

C
01 read
02 get
03 enjoy
04 write

정답

어휘 기초 확인 p. 25

A
01 마시다
02 잡다, (병에) 걸리다
03 사다, 사주다
04 주다
05 catch
06 drink
07 give
08 buy

B
01 catch
02 give
03 drink
04 buy

C
01 caught
02 drank
03 bought
04 gave

3일 어휘 집중 연습 pp. 26 ~ 27

A
01 b
02 f
03 d
04 c
05 a
06 e

B
01 read
02 drink
03 got
04 enjoy

C
01 catch
02 give
03 buy
04 get

누적 테스트

01 ~이 되다
02 따라가다[오다], 따르다
03 재배하다, 크다, 자라다
04 굽다, 구워지다
05 쓰다
06 받다, 얻다, 가져오다, 도착하다
07 즐기다, 즐거워하다
08 잡다, (병에) 걸리다
09 take
10 like
11 act
12 practice
13 read
14 drink
15 give
16 buy

4일

어휘 기초 확인 p. 29

A
01 (눈을) 감다, 닫다, 덮다
02 먹다
03 만들다, (~되도록) 하다
04 청소하다, 닦다
05 clean
06 close
07 eat
08 make

B
01 close
02 clean
03 make
04 eat

C
01 made
02 closed
03 cleaned
04 ate

어휘 기초 확인 p. 31

A
01 보다, 알다, 이해하다
02 달리다, 뛰다, 운영하다
03 기다리다
04 수영하다
05 swim
06 see
07 run
08 wait

B
01 wait
02 see
03 swim
04 run

C
01 swim
02 wait
03 running
04 see

4일 어휘 집중 연습 pp. 32 ~ 33

A	01 c	04 b
	02 e	05 f
	03 d	06 a
B	01 makes	03 closes
	02 waiting	04 eat
C	01 clean	03 swimming
	02 seen	04 run

누적 테스트

01 읽다	09 write
02 받다, 얻다, 가져오다, 도착하다	10 catch
03 주다	11 enjoy
04 마시다	12 buy
05 수영하다	13 make
06 보다, 알다, 이해하다	14 close
07 기다리다	15 clean
08 달리다, 뛰다, 운영하다	16 eat

어휘 기초 확인 p. 35

A	01 만나다, 모이다	05 start
	02 (~라고) 말하다	06 meet
	03 시작하다	07 learn
	04 배우다	08 say
B	01 say	03 learn
	02 meet	04 start
C	01 met	03 learned
	02 say	04 start

어휘 기초 확인 p. 37

A	01 가르치다, 가르쳐주다	05 speak
	02 함께하다, 가입하다	06 teach
	03 이야기하다, 말하다	07 call
	04 전화하다, 부르다	08 join
B	01 join	03 teach
	02 speak	04 call
C	01 speak	03 taught
	02 call	04 join

5일 어휘 집중 연습 pp. 38 ~ 39

A	01 c	04 e
	02 f	05 a
	03 b	06 d
B	01 call	03 teach
	02 started	04 spoke
C	01 say	03 join
	02 learned	04 meet

누적 테스트

01 (눈을) 감다, 닫다, 덮다	09 wait
02 청소하다, 닦다	10 swim
03 만들다, (~되도록) 하다	11 see
04 달리다, 뛰다, 운영하다	12 eat
05 전화하다, 부르다	13 meet
06 시작하다	14 join
07 가르치다, 가르쳐주다	15 learn
08 (~라고) 말하다	16 speak

정답

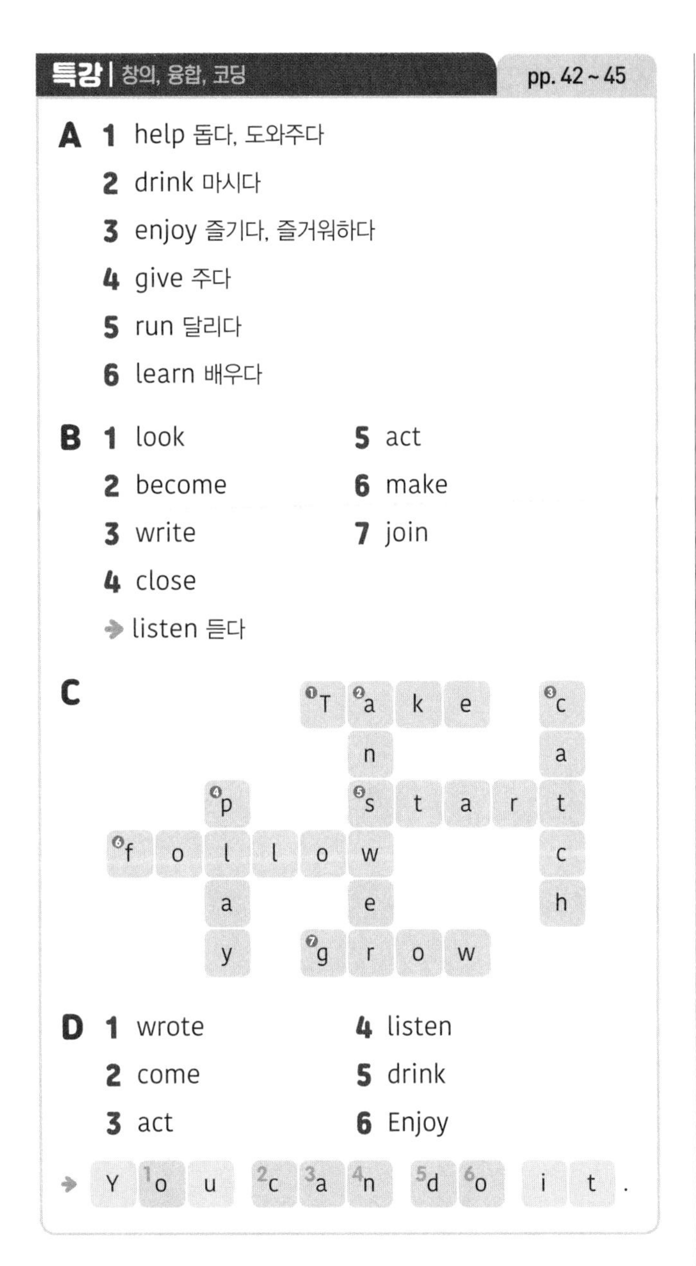

특강 | 창의, 융합, 코딩 pp. 42 ~ 45

A
1 help 돕다, 도와주다
2 drink 마시다
3 enjoy 즐기다, 즐거워하다
4 give 주다
5 run 달리다
6 learn 배우다

B
1 look
2 become
3 write
4 close
5 act
6 make
7 join
→ listen 듣다

C

D
1 wrote
2 come
3 act
4 listen
5 drink
6 Enjoy
→ Y [1]o u [2]c [3]a [4]n [5]d [6]o i t .

1주 누구나 100점 테스트 pp. 46 ~ 47

01 answer
02 play
03 c
04 d
05 b
06 b
07 d
08 buy, He will buy a green shirt.
09 follow, I follow the road to school.
10 starts, It starts to rain.

2주

2주에는 무엇을 공부할까? ❶ pp. 48 ~ 49

01 씻다
02 자르다
03 죽다
04 죽이다
05 들어 올리다
06 기억하다
07 살다
08 먹이를 주다, 먹이다

2주에는 무엇을 공부할까? ❷ pp. 50 ~ 51

❷-1 01 add
02 draw
03 cry
04 lift
05 drive
06 talk

❷-2 01 hear
02 plan
03 climb
04 cut
05 study
06 build

어휘 기초 확인 p. 53

A 01 운동하다
02 듣다, 들리다
03 그리다, 끌어당기다
04 시작하다
05 draw
06 hear
07 begin
08 exercise

B 01 begin
02 hear
03 exercise
04 draw

C 01 heard
02 exercise
03 drew
04 begin

어휘 기초 확인 p. 55

A 01 말하다, 알려주다
02 씻다
03 자르다
04 깨다, 부서지다, 고장나다
05 break
06 cut
07 tell
08 wash

B 01 wash
02 cut
03 tell
04 break

C 01 washes
02 broke
03 cut
04 told

1일 어휘 집중 연습 pp. 56 ~ 57

A 01 f
02 e
03 a
04 c
05 b
06 d

B 01 telling
02 cut
03 heard
04 washed

C 01 began
02 broken
03 drew
04 exercise

누적 테스트

01 씻다
02 운동하다
03 듣다, 들리다
04 자르다
05 그리다, 끌어당기다
06 깨다, 부서지다, 고장나다
07 시작하다
08 말하다, 알려주다
09 cut
10 wash
11 draw
12 exercise
13 begin
14 tell
15 break
16 hear

정답

어휘 기초 확인

p. 59

A
01 느끼다
02 보다, 지켜보다
03 치다, 때리다
04 울다, 외치다
05 feel
06 cry
07 hit
08 watch

B
01 cry
02 hit
03 watch
04 feel

C
01 watched
02 hit
03 feel
04 cried

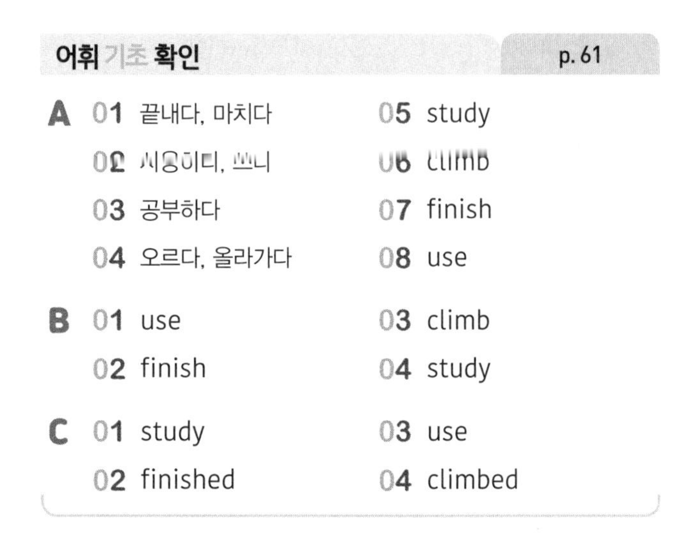

어휘 기초 확인

p. 61

A
01 끝내다, 마치다
02 사용하다, 쓰다
03 공부하다
04 오르다, 올라가다
05 study
06 climb
07 finish
08 use

B
01 use
02 finish
03 climb
04 study

C
01 study
02 finished
03 use
04 climbed

2일 어휘 집중 연습

pp. 62 ~ 63

A
01 d
02 e
03 b
04 c
05 a
06 f

B
01 felt
02 finished
03 hitting
04 study

C
01 cry
02 watches
03 using
04 climbed

01 깨다, 부서지다, 고장나다
02 그리다, 끌어당기다
03 운동하다
04 느끼다
05 듣다, 들리다
06 말하다, 알려주다
07 오르다, 올라가다
08 공부하다
09 watch
10 cry
11 begin
12 cut
13 use
14 wash
15 hit
16 finish

어휘 기초 확인

p. 65

A
01 말하다, 이야기하다
02 멈추다
03 동의하다, 찬성하다
04 알다, 알고 있다
05 stop
06 know
07 talk
08 agree

B
01 agree
02 stop
03 know
04 talk

C
01 know
02 agreed
03 stops
04 talk

어휘 기초 확인

p. 67

A
01 원하다, 바라다
02 짓다, 건설하다
03 먹이를 주다, 먹이다
04 방문하다
05 build
06 visit
07 feed
08 want

B
01 visit
02 want
03 feed
04 build

C
01 visited
02 built
03 want
04 food

3일 어휘 집중 연습

pp. 68 ~ 69

A
01 d
02 b
03 e
04 c
05 f
06 a

B
01 talked
02 wants
03 fed
04 stopped

C
01 knows
02 visited
03 built
04 agreed

누적 테스트

01 알다, 알고 있다
02 울다, 외치다
03 짓다, 건설하다
04 먹이를 주다, 먹이다
05 사용하다, 쓰다
06 동의하다, 찬성하다
07 말하다, 이야기하다
08 치다, 때리다
09 want
10 feel
11 climb
12 finish
13 study
14 stop
15 visit
16 watch

4일

어휘 기초 확인

p. 71

A
01 계획하다
02 초대하다
03 바라다, 희망하다
04 유지하다, ~을 계속하다
05 hope
06 keep
07 invite
08 plan

B
01 keep
02 hope
03 invite
04 plan

C
01 invite
02 keeps
03 plans
04 hope

어휘 기초 확인

p. 73

A
01 죽다
02 실패하다, (시험에) 떨어지다
03 잊다, 잊어버리다
04 기억하다
05 die
06 remember
07 fail
08 forget

B
01 fail
02 die
03 remember
04 forget

C
01 remember
02 died
03 failed
04 forget

정답

4일 어휘 집중 연습 pp. 74 ~ 75

A
01 e
02 b
03 f
04 d
05 a
06 c

B
01 hoped
02 planned
03 dying
04 remember

C
01 invited
02 keeps
03 failed
04 forgot

누적 테스트

01 원하다, 바라다
02 말하다, 이야기하다
03 동의하다, 찬성하다
04 유지하다, ~을 계속하다
05 실패하다, (시험에) 떨어지다
06 짓다, 건설하다
07 바라다, 희망하다
08 방문하다
09 forget
10 remember
11 invite
12 stop
13 die
14 feed
15 plan
16 know

5일

어휘 기초 확인 p. 77

A
01 살다
02 움직이다, 옮기다, 이사하다
03 운전하다, 태워주다
04 (발로) 차다
05 drive
06 kick
07 live
08 move

B
01 kick
02 drive
03 move
04 live

C
01 kick
02 drive
03 move
04 live

어휘 기초 확인 p. 79

A
01 더하다, 추가하다
02 죽이다
03 들어 올리다
04 흔들다, 고개를 젓다
05 kill
06 add
07 shake
08 lift

B
01 add
02 lift
03 kill
04 shake

C
01 add
02 shake
03 kill
04 lift

5일 어휘 집중 연습 pp. 80 ~ 81

A
01 f
02 c
03 e
04 a
05 d
06 b

B
01 drove
02 lift
03 shaking
04 moves

C
01 kicked
02 lived
03 adds
04 killed

누적 테스트

01 더하다, 추가하다
02 죽다
03 운전하다, 태워주다
04 실패하다, (시험에) 떨어지다
05 잊다, 잊어버리다
06 흔들다, 고개를 젓다
07 초대하다
08 유지하다, ~을 계속하다
09 kick
10 kill
11 lift
12 live
13 move
14 plan
15 remember
16 hope

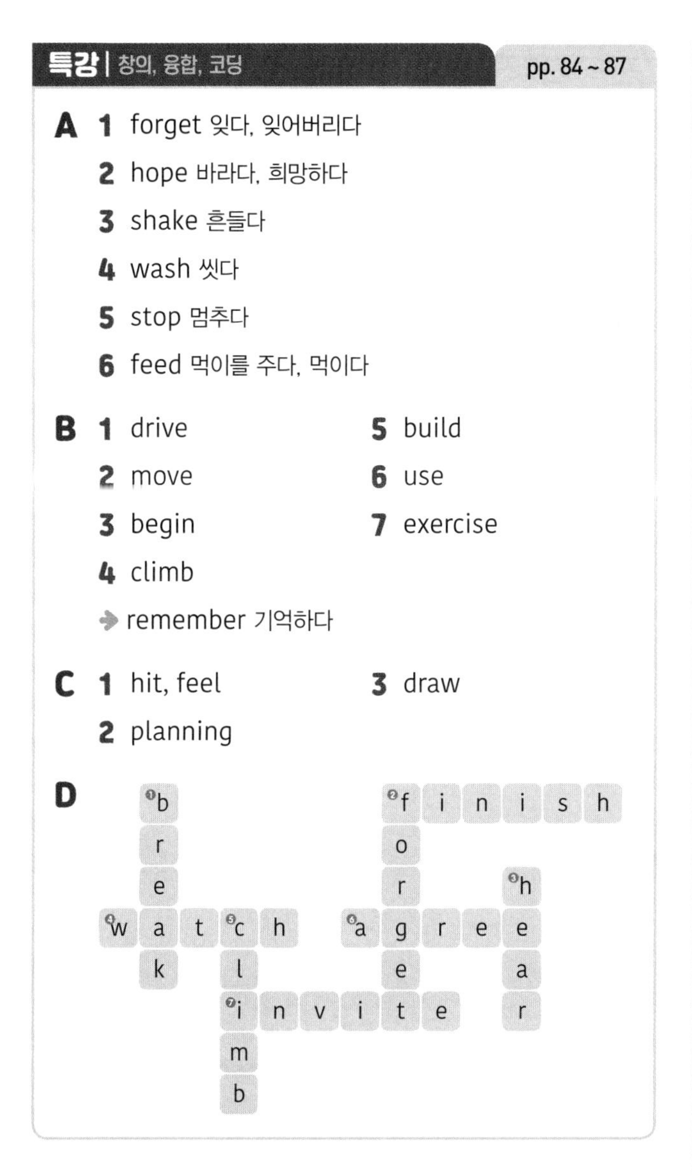

특강 | 창의, 융합, 코딩 pp. 84 ~ 87

A
1 forget 잊다, 잊어버리다
2 hope 바라다, 희망하다
3 shake 흔들다
4 wash 씻다
5 stop 멈추다
6 feed 먹이를 주다, 먹이다

B
1 drive
2 move
3 begin
4 climb
5 build
6 use
7 exercise
→ remember 기억하다

C
1 hit, feel
2 planning
3 draw

D

2주 누구나 100점 테스트 pp. 88 ~ 89

01 exercise
02 visit
03 a
04 c
05 b
06 a
07 d
08 keep, Please keep the park clean.
09 shaking, The dog is shaking his body.
10 built, The Egyptians built the Pyramids.

정답

3주에는 무엇을 공부할까? ❶ pp. 90 ~ 91

01 추측하다
02 머무르다
03 필요하다
04 굽다, 튀기다
05 놓치다
06 숨다, 숨기다
07 웃다
08 선택하다, 고르다
09 함께 쓰다, 나누다

3주에는 무엇을 공부할까? ❷ pp. 92 ~ 93

❷-1 01 wish
02 borrow
03 taste
04 leave
05 pass
06 shout

❷-2 01 decide
02 bring
03 find
04 fight
05 walk
06 fall

1일

어휘 기초 확인 p. 95

A 01 바라다, 원하다
02 결정하다
03 도착하다
04 머무르다
05 arrive
06 wish
07 stay
08 decide

B 01 stay
02 decide
03 arrive
04 wish

C 01 decided
02 arrive
03 stayed
04 wish

어휘 기초 확인 p. 97

A 01 빌리다
02 웃다
03 필요하다, 필요로 하다, ~해야 한다
04 숨다, 숨기다
05 laugh
06 hide
07 borrow
08 need

B 01 borrow
02 laugh
03 hide
04 need

C 01 hid
02 borrows
03 need
04 laughed

1일 어휘 집중 연습 pp. 98 ~ 99

A 01 d
02 f
03 e
04 c
05 a
06 b

B 01 hiding
02 laughed
03 wish
04 borrowed

C 01 stay
02 need
03 decided
04 arrive

누적 테스트

01 머무르다
02 숨다, 숨기다
03 도착하다
04 필요하다, 필요로 하다, ~해야 한다
05 바라다, 원하다
06 웃다
07 빌리다
08 결정하다
09 decide
10 borrow
11 arrive
12 wish
13 need
14 stay
15 arrive
16 hide

어휘 기초 확인 p. 101

A
01 맛이 ~하다, ~ 맛이 나다
02 추측하다, 알아내다
03 싸우다
04 굽다, 굽히다, 튀기다, 튀겨지다
05 guess
06 fight
07 fry
08 taste

B
01 taste
02 fry
03 guess
04 fight

C
01 taste
02 fight
03 guess
04 fry

어휘 기초 확인 p. 103

A
01 찾다, 발견하다
02 밀다, 누르다
03 이기다, 얻다
04 가져오다, 가져다주다
05 bring
06 win
07 find
08 push

B
01 find
02 push
03 win
04 bring

C
01 won
02 bring
03 push
04 found

2일 어휘 집중 연습 pp. 104 ~ 105

A
01 c
02 a
03 e
04 f
05 d
06 b

B
01 fry
02 win
03 brought
04 tastes

C
01 find
02 pushed
03 Guess
04 fight

누적 테스트

01 이기다, 얻다
02 추측하다, 알아내다
03 빌리다
04 필요하다, 필요로 하다, ~해야 한다
05 굽다, 굽히다, 튀기다, 튀겨지다
06 맛이 ~하다, ~ 맛이 나다
07 가져오다, 가져다주다
08 싸우다
09 stay
10 laugh
11 wish
12 decide
13 arrive
14 find
15 hide
16 push

어휘 기초 확인 p. 107

A
01 들고 있다, 나르다, 휴대하다
02 들어가다, 들어오다
03 빌려주다
04 떠나다, 남기다
05 lend
06 leave
07 enter
08 carry

B
01 lend
02 carry
03 leave
04 enter

C
01 leave
02 enter
03 carry
04 lend

정답

어휘 기초 확인 p. 109

A
01 변하다, 바꾸다
02 냄새가 나다, 냄새를 맡다
03 떨어지다, 넘어지다, 되다, ~해지다
04 믿다, 여기다
05 believe
06 fall
07 smell
08 change

B
01 smell
02 believe
03 fall
04 change

C
01 change
02 smell
03 fell
04 believe

3일 어휘 집중 연습 pp. 110 ~ 111

A
01 d
02 a
03 e
04 f
05 c
06 b

B
01 lent
02 smell
03 changed
04 enter

C
01 fell
02 carrying
03 leave
04 believe

누적 테스트

01 들어가다, 들어오다
02 맛이 ~하다, ~ 맛이 나다
03 가져오다, 가져다주다
04 믿다, 여기다
05 빌려주다
06 떠나다, 남기다
07 추측하다, 알아내다
08 변하다, 바꾸다
09 win
10 find
11 smell
12 push
13 carry
14 fry
15 fall
16 fight

4일

어휘 기초 확인 p. 113

A
01 놓치다, 그리워하다
02 저축하다, 구하다
03 합격하다, 지나가다
04 팔다, 팔리다
05 pass
06 miss
07 save
08 sell

B
01 miss
02 pass
03 sell
04 save

C
01 missed
02 saved
03 sold
04 passed

어휘 기초 확인 p. 115

A
01 걷다, 산책시키다
02 보내다
03 수리하다, 수선하다
04 만지다, 건드리다
05 send
06 walk
07 touch
08 repair

B
01 walk
02 repair
03 send
04 touch

C
01 send
02 touched
03 repair
04 walked

4일 어휘 집중 연습 pp. 116 ~ 117

A 01 b 02 c 03 d 04 f 05 a 06 e

B 01 passed 02 sell 03 walks 04 miss

C 01 touch 02 sent 03 saves 04 repair

누적 테스트

01 들고 있다, 나르다, 휴대하다
02 떠나다, 남기다
03 냄새가 나다, 냄새를 맡다
04 변하다, 바꾸다
05 떨어지다, 넘어지다, 되다
06 합격하다, 지나가다
07 저축하다, 구하다
08 걷다, 산책시키다
09 lend
10 enter
11 sell
12 believe
13 repair
14 miss
15 touch
16 send

5일

어휘 기초 확인 p. 119

A 01 돌아오다[가다], 돌려주다 02 함께 쓰다, 나누다 03 선택하다, 고르다 04 잃어버리다, 지다 05 share 06 return 07 lose 08 choose

B 01 share 02 return 03 choose 04 lose

C 01 Return 02 share 03 lost 04 Choose

어휘 기초 확인 p. 121

A 01 모으다, 수집하다 02 소리치다, 큰 소리로 말하다 03 보여주다, 알려 주다 04 던지다 05 show 06 shout 07 throw 08 collect

B 01 show 02 shout 03 throw 04 collect

C 01 collect 02 shouted 03 show 04 threw

5일 어휘 집중 연습 pp. 122 ~ 123

A 01 d 02 a 03 f 04 b 05 e 06 c

B 01 showed 02 Throw 03 lost 04 returned

C 01 collect 02 shout 03 shared 04 chose

누적 테스트

01 팔다, 팔리다
02 합격하다, 지나가다
03 수리하다, 수선하다
04 보여주다, 알려 주다
05 함께 쓰다, 나누다
06 던지다
07 잃어버리다, 지다
08 소리치다, 큰 소리로 말하다
09 save
10 miss
11 touch
12 send
13 choose
14 collect
15 walk
16 return

정답

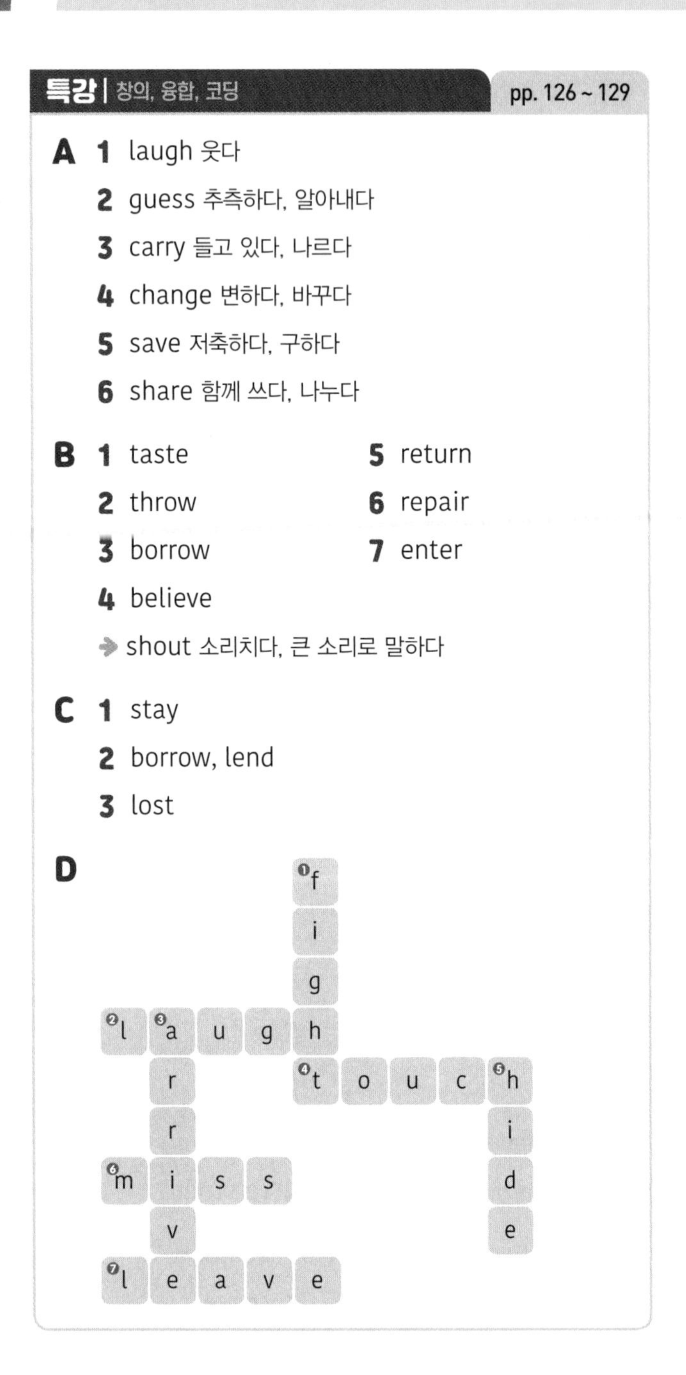

특강 | 창의, 융합, 코딩 pp. 126 ~ 129

A
1 laugh 웃다
2 guess 추측하다, 알아내다
3 carry 들고 있다, 나르다
4 change 변하다, 바꾸다
5 save 저축하다, 구하다
6 share 함께 쓰다, 나누다

B
1 taste
2 throw
3 borrow
4 believe
5 return
6 repair
7 enter
→ shout 소리치다, 큰 소리로 말하다

C
1 stay
2 borrow, lend
3 lost

D

3주 누구나 100점 테스트 pp. 130 ~ 131

01 arrive
02 taste
03 b
04 c
05 a
06 b
07 d
08 won, The turtle won the race.
09 fell, The apple fell from the tree.
10 threw, The singer threw his cap to the fans.

4주

4주에는 무엇을 공부할까? ❶ pp. 132 ~ 133

01 표현하다, 나타내다
02 예상하다, 기대하다
03 달아나다, 탈출하다
04 상상하다
05 쉬다, 긴장을 풀다
06 파괴하다
07 보호하다
08 창조[창작]하다
09 (시간을) 보내다
10 설명하다

4주에는 무엇을 공부할까? ❷ pp. 134 ~ 135

❷-1 01 relax
02 appear
03 tie
04 receive
05 achieve
06 select

❷-2 01 avoid
02 steal
03 remind
04 support
05 rise
06 succeed

1일

어휘 기초 확인 p. 137

A 01 해결하다, (문제를) 풀다
02 창조[창작]하다
03 축하하다
04 누워 있다, 거짓말하다
05 celebrate
06 solve
07 create
08 lie

B 01 create
02 celebrate
03 lie
04 solve

C 01 lay
02 created
03 solved
04 celebrated

어휘 기초 확인 p. 139

A 01 쉬다, 긴장을 풀다
02 발견하다
03 훔치다
04 표현하다, 나타내다
05 steal
06 express
07 relax
08 discover

B 01 relax
02 discover
03 express
04 steal

C 01 relax
02 express
03 discovered
04 stole

1일 어휘 집중 연습 pp. 140 ~ 141

A 01 f
02 a
03 c
04 b
05 d
06 e

B 01 celebrate
02 solve
03 discovered
04 express

C 01 lying
02 stole
03 relax
04 created

누적 테스트

01 창조[창작]하다
02 표현하다, 나타내다
03 쉬다, 긴장을 풀다
04 해결하다, (문제를) 풀다
05 훔치다
06 발견하다
07 누워 있다, 거짓말하다
08 축하하다
09 lie
10 steal
11 create
12 solve
13 celebrate
14 relax
15 discover
16 express

정답

2일

어휘 기초 확인 p. 143

A
01 상의하다, 토론하다
02 설명하다
03 지불하다, 내다
04 (돈을) 쓰다, (시간을) 보내다
05 pay
06 discuss
07 spend
08 explain

B
01 spend
02 explain
03 pay
04 discuss

C
01 explains
02 spends
03 discuss
04 pay

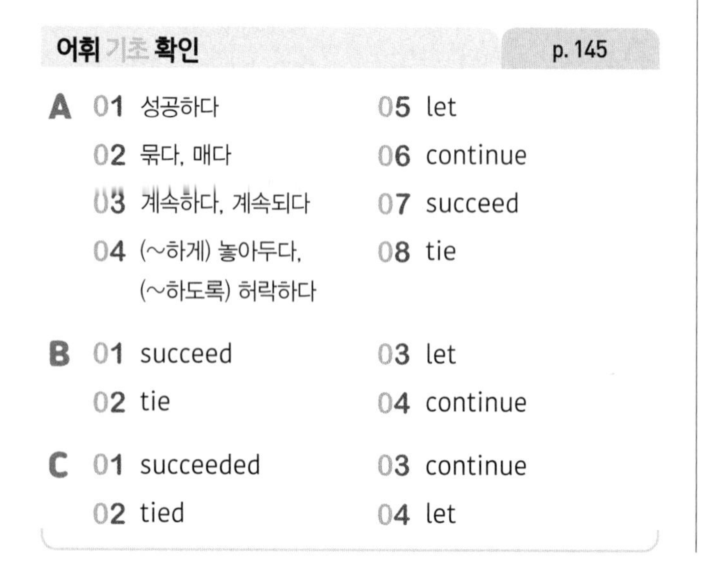

어휘 기초 확인 p. 145

A
01 성공하다
02 묶다, 매다
03 계속하다, 계속되다
04 (~하게) 놓아두다, (~하도록) 허락하다
05 let
06 continue
07 succeed
08 tie

B
01 succeed
02 tie
03 let
04 continue

C
01 succeeded
02 tied
03 continue
04 let

2일 어휘 집중 연습 pp. 146 ~ 147

A
01 c
02 f
03 a
04 d
05 e
06 b

B
01 let
02 discuss
03 succeed
04 continues

C
01 tied
02 explain
03 paid
04 spend

누적 테스트

01 발견하다
02 설명하다
03 계속하다, 계속되다
04 (돈을) 쓰다, (시간을) 보내다
05 해결하다, (문제를) 풀다
06 훔치다
07 묶다, 매다
08 (~하게) 놓아두다, (~하도록) 허락하다
09 create
10 relax
11 discuss
12 pay
13 lie
14 succeed
15 celebrate
16 express

3일

어휘 기초 확인 p. 149

A
01 나아지다, 향상시키다
02 받아들이다, 인정하다
03 배달하다
04 예상하다, 기대하다
05 deliver
06 accept
07 expect
08 improve

B
01 improve
02 accept
03 deliver
04 expect

C
01 accept
02 improve
03 expect
04 delivered

어휘 기초 확인 p. 151

A 01 찾다, 검색하다
02 상상하다
03 성취하다, 이루다
04 달아나다, 탈출하다
05 achieve
06 escape
07 search
08 imagine

B 01 search
02 achieve
03 imagine
04 escape

C 01 escaped
02 imagine
03 searching
04 achieved

3일 어휘 집중 연습 pp. 152 ~ 153

A 01 e
02 a
03 c
04 d
05 b
06 f

B 01 accept
02 achieve
03 escape
04 search

C 01 expect
02 delivers
03 improve
04 imagine

누적 테스트

01 배달하다
02 달아나다, 탈출하다
03 받아들이다, 인정하다
04 묶다, 매다
05 상상하다
06 계속하다, 계속되다
07 찾다, 검색하다
08 상의하다, 토론하다
09 achieve
10 explain
11 pay
12 expect
13 improve
14 spend
15 succeed
16 let

4일

어휘 기초 확인 p. 155

A 01 속삭이다
02 보호하다
03 나타나다
04 파괴하다
05 protect
06 appear
07 destroy
08 whisper

B 01 whisper
02 protect
03 appear
04 destroy

C 01 whispered
02 appear
03 destroyed
04 protect

어휘 기초 확인 p. 157

A 01 용서하다
02 궁금하다, 궁금해하다
03 지지하다, 부양하다
04 이해하다
05 wonder
06 forgive
07 understand
08 support

B 01 wonder
02 forgive
03 support
04 understand

C 01 wonder
02 support
03 understand
04 forgive

정답

4일 어휘 집중 연습 pp. 158 ~ 159

A 01 f
02 a
03 c
04 e
05 d
06 b

B 01 understand
02 appears
03 whisper
04 wondered

C 01 forgive
02 destroy
03 protect
04 support

누적 테스트

01 예상하다, 기대하다
02 받아들이다, 인정하다
03 지지하다, 부양하다
04 찾다, 검색하다
05 나아지다, 향상시키다
06 성취하다, 이루다
07 달아나다, 탈출하다
08 궁금하다, 궁금해하다
09 understand
10 deliver
11 forgive
12 imagine
13 protect
14 appear
15 destroy
16 whisper

5일

어휘 기초 확인 p. 161

A 01 선택하다, 선발하다
02 증가하다, 인상되다
03 피하다
04 생각나게 하다, 다시 한 번 알려주다
05 increase
06 select
07 remind
08 avoid

B 01 select
02 avoid
03 remind
04 increase

C 01 avoid
02 reminds
03 select
04 increase

어휘 기초 확인 p. 163

A 01 올라가다, 일어나다
02 받다, 받아들이다
03 언짢아하다, 신경 쓰다
04 생산하다
05 produce
06 receive
07 rise
08 mind

B 01 rise
02 receive
03 mind
04 produce

C 01 rise
02 receive
03 mind
04 produce

5일 어휘 집중 연습 pp. 164 ~ 165

A 01 b
02 e
03 c
04 f
05 a
06 d

B 01 producing
02 receive
03 selected
04 remind

C 01 avoid
02 risen
03 mind
04 increased

누적 테스트

01 증가하다, 인상되다
02 생각나게 하다, 다시 한 번 알려주다
03 언짢아하다, 신경 쓰다
04 보호하다
05 받다, 받아들이다
06 용서하다
07 올라가다, 일어나다
08 나타나다
09 produce
10 understand
11 select
12 wonder
13 destroy
14 whisper
15 avoid
16 support

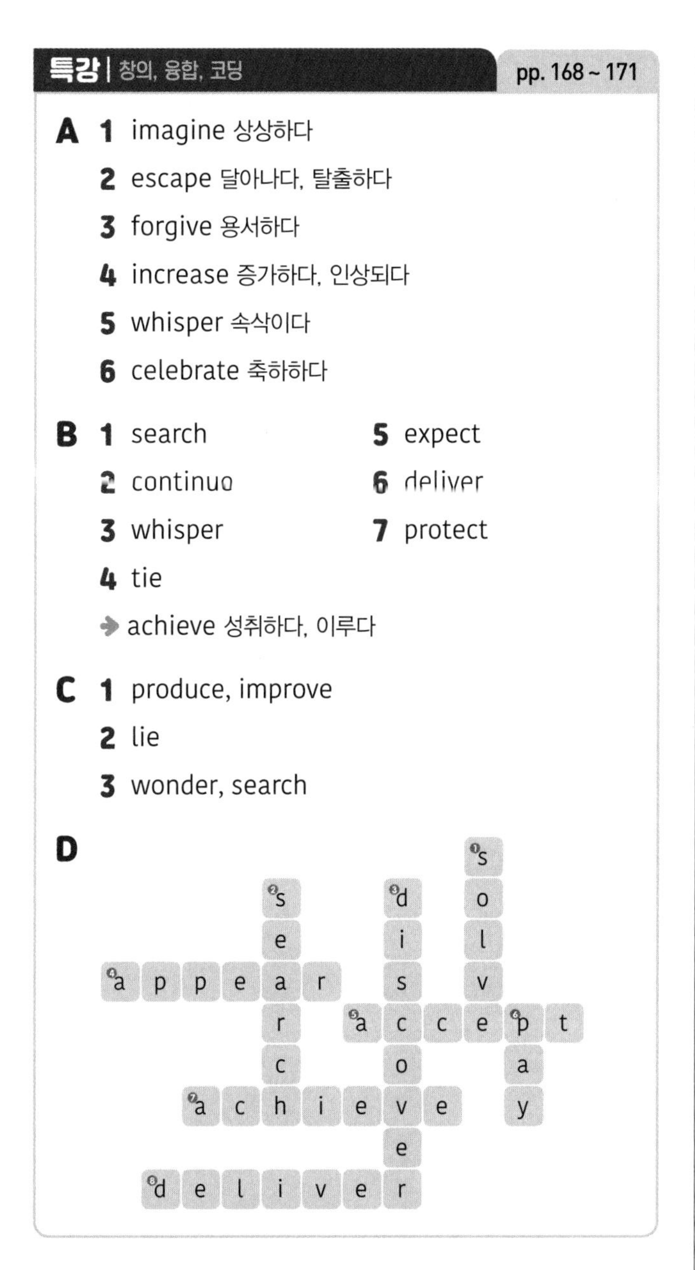

특강 | 창의, 융합, 코딩 pp. 168 ~ 171

A 1 imagine 상상하다
2 escape 달아나다, 탈출하다
3 forgive 용서하다
4 increase 증가하다, 인상되다
5 whisper 속삭이다
6 celebrate 축하하다

B 1 search
2 continue
3 whisper
4 tie
5 expect
6 deliver
7 protect
→ achieve 성취하다, 이루다

C 1 produce, improve
2 lie
3 wonder, search

D

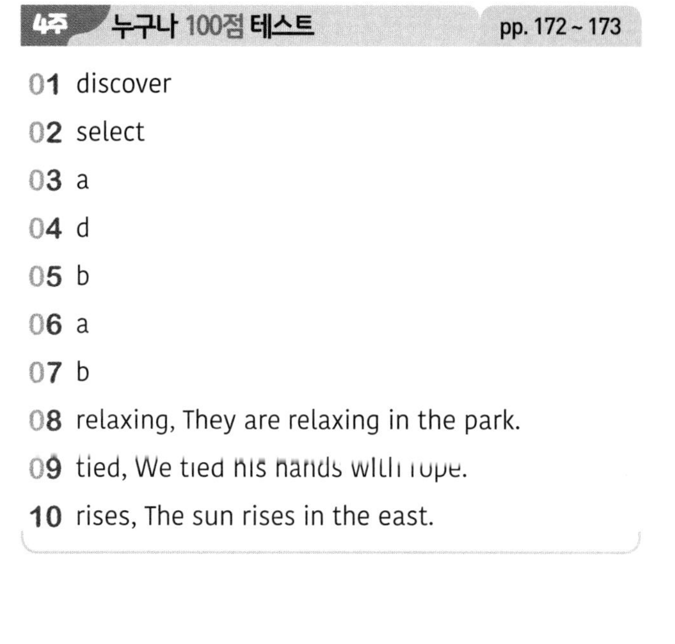

4주 누구나 100점 테스트 pp. 172 ~ 173

01 discover
02 select
03 a
04 d
05 b
06 a
07 b
08 relaxing, They are relaxing in the park.
09 tied, We tied his hands with rope.
10 rises, The sun rises in the east.

Memo

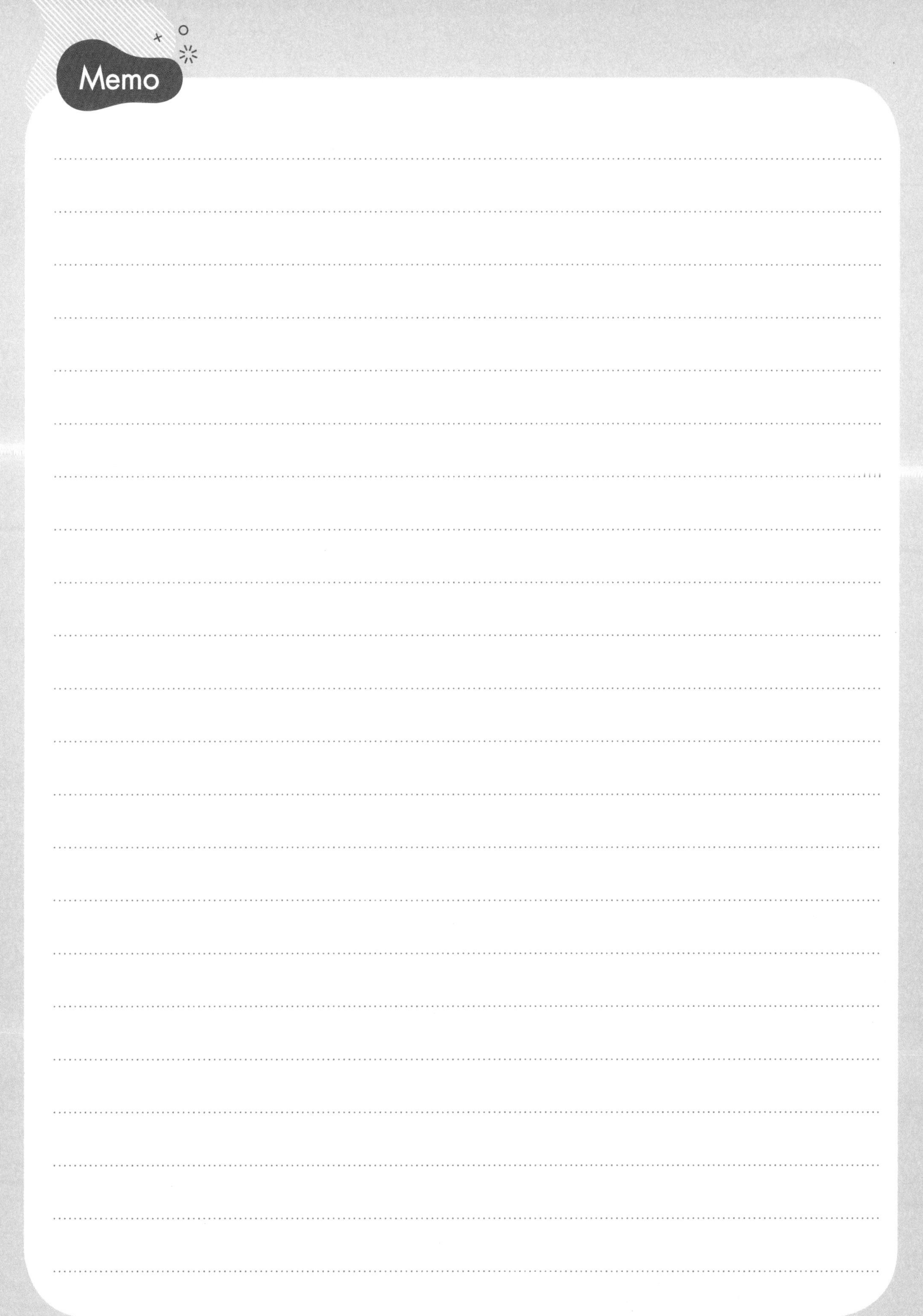
Memo

Memo

정답은
이 안에
있어!